16	3	2	13
5	10	11	8
9	6	7	12
4	15	14	1

Coleção LESTE

Fiódor Dostoiévski

MEMÓRIAS DO SUBSOLO

Tradução, prefácio e notas
Boris Schnaiderman

editora█34

EDITORA 34

Editora 34 Ltda.
Rua Hungria, 592 Jardim Europa CEP 01455-000
São Paulo - SP Brasil Tel/Fax (11) 3811-6777 www.editora34.com.br

Copyright © Editora 34 Ltda., 2000
Tradução © Boris Schnaiderman, 2000

A FOTOCÓPIA DE QUALQUER FOLHA DESTE LIVRO É ILEGAL E CONFIGURA UMA
APROPRIAÇÃO INDEVIDA DOS DIREITOS INTELECTUAIS E PATRIMONIAIS DO AUTOR.

Edição conforme o Acordo Ortográfico da Língua Portuguesa.

Imagem da capa:
*A partir de desenho a bico de pena de Oswaldo Goeldi, c. 1946
(autorizada sua reprodução pela Associação Artística Cultural
Oswaldo Goeldi - www.oswaldogoeldi.com.br)*

Capa, projeto gráfico e editoração eletrônica:
Bracher & Malta Produção Gráfica

Revisão:
Adrienne de Oliveira Firmo, Alexandre Barbosa de Souza

1ª Edição - 1961 (José Olympio, Rio de Janeiro),
2ª Edição - 1992 (Pauliceia, São Paulo),
3ª Edição - 2000 (3 Reimpressões), 4ª Edição - 2003, 5ª Edição - 2004
(3 Reimpressões), 6ª Edição - 2009 (9ª Reimpressão - 2024)

Catalogação na Fonte do Departamento Nacional do Livro
(Fundação Biblioteca Nacional, RJ, Brasil)

Dostoiévski, Fiódor, 1821-1881
D724m   Memórias do subsolo / Fiódor Dostoiévski;
tradução, prefácio e notas de Boris Schnaiderman —
São Paulo: Editora 34, 2009 (6ª Edição).
152 p.

ISBN 978-85-7326-185-1

Tradução de: Zapíski iz podpólia

1. Literatura russa. I. Schnaiderman, Boris.
II. Título. III. Série.

CDD - 891.73

MEMÓRIAS DO SUBSOLO

Prefácio do tradutor 7

1. O subsolo 15
2. A propósito da neve molhada 55

A tradução deste livro baseia-se nas seguintes edições russas: *Obras reunidas* (*Sobránie sotchiniénii*), em 10 volumes, de F. Dostoiévski, Editora Estatal de Literatura (Goslitizdat), Moscou, 1956-1958, e *Obras completas* (*Pólnoie sobránie sotchiniénii*), em 30 volumes, publicada pela Academia de Ciências da U.R.S.S. (Editora Naúka — Ciência), Leningrado, 1972-1990.

PREFÁCIO

Boris Schnaiderman

Se Dostoiévski é considerado geralmente como o romancista-filósofo por excelência,[1] *Memórias do subsolo* é o escrito em que isto se manifesta de modo particularmente intenso. Toda a dramaticidade e força emocional do texto, toda a introspecção verrumante de seu personagem, estão intimamente ligados à concepção central, como poucas vezes aconteceu em toda a literatura.

Elaborado quando o autor estava acompanhando os momentos derradeiros de sua primeira mulher, atacada de tuberculose, parece incrível que pudesse, naquelas circunstâncias, infundir vivência tão forte a um personagem de ficção. Mas, ao mesmo tempo, há uma ambiguidade básica no "paradoxalista" da novela. Ele é apresentado na nota introdutória de Dostoiévski como um representante da "geração que vive seus últimos dias". Neste sentido, tem muito a ver com os "homens supérfluos", como foram designadas por Turguêniev aquelas pessoas da aristocracia muito ligadas à vida patriarcal russa e que estavam deslocadas numa sociedade que sofria o impacto da penetração capitalista.

Mas, ao mesmo tempo, o homem do subsolo tem estofo de um filósofo. Construído pelo autor com um acúmulo de traços negativos, ele é, também, o seu porta-voz no ataque ao

---

[1] Tratei disso de modo mais desenvolvido no ensaio "Dostoiévski: a ficção como pensamento", em Adauto Novaes (org.), *Artepensamento*, São Paulo, Companhia das Letras, 1994.

racionalismo e à mentalidade positivista. E é ainda seu porta-voz na briga com os defensores do "princípio econômico", que propugnavam um desenvolvimento burguês para a Rússia, enquanto Dostoiévski apontava para o que havia de anti-humanista nesta posição. O "anti-herói" dostoievskiano, que aliás se define assim, perto do final de seu monólogo, representa o clímax do "desligamento do solo" em que vivia boa parte da sociedade russa, mas é também o crítico feroz desta.

Na verdade, pode-se dizer que esta novela, planejada de início como um vasto romance, constitui, em forma ficcional e mais explosiva, a cristalização das ideias que aparecem em *Notas de inverno sobre impressões de verão*, escritas após a primeira viagem de Dostoiévski à Europa Ocidental.

Uma análise estilística certamente revelaria a retomada de muitas passagens das *Notas*, mas o tom é outro, pois se trata de uma confidência pessoal do personagem. Se em *Notas* Dostoiévski se dirige diretamente a seus leitores, o "paradoxalista" se confessa perante certos "meus senhores", que nunca são definidos, e isto acarreta, naturalmente, uma radical mudança de tom. Na minha tradução de ambos os textos, esta diferença ficou marcada pelo contraste entre o "vocês" do primeiro escrito e o "vós" do segundo, embora em russo se tenha a mesma pessoa gramatical.

Em *Problemas da poé ica de Dostoiévski* (livro do qual há uma tradução muito boa para o português, realizada por Paulo Bezerra),[2] Mikhail Bakhtin mostrou admiravelmente como toda a novela ficou estruturada sobre uma confissão que se constrói na expectativa da palavra do outro. Mas, se a análise de Bakhtin é realmente magistral, ela deixa apenas subentendido o fato de que, ao mesmo tempo, o "paradoxalista" fica polemizando com autores e opiniões correntes na época.

---

[2] Mikhail Bakhtin, *Problemas da poética de Dostoiévski*, Rio de Janeiro, Forense Universitária, 1997, 2ª edição.

A crítica textual russa já definiu, em pormenor, as brigas em que o personagem toma parte. Mas, se o ponto de partida é sempre ou quase sempre um fato tirado de jornais ou livros do momento, na realidade a discussão tem um caráter mais geral e elevado. O caso particular, como ocorre frequentemente em Dostoiévski, traz implícita a referência a uma problemática filosófica. Assim, a contestação da frase "dois e dois são quatro" baseia-se em artigos então aparecidos em periódicos, mas evidentemente a argumentação do personagem volta-se contra todo o racionalismo ocidental.

Quando a novela saiu, não se percebeu o seu alcance. A única reação imediata, além de algumas notas venenosas, foi uma paródia perversa de Saltikóv-Schedrin. Evidentemente, empenhados como estavam numa luta encarniçada, em que ocupavam posição diametralmente oposta à de Dostoiévski (defensor da corrente denominada *pótchvienitchestvo*, de *potchva*, solo, que se caracterizava pela exaltação das qualidades do povo russo e pela tentativa de dar a esta um cunho político, como se percebe claramente em *Escritos da casa morta*, que é um pouco anterior), eles leram a novela como um panfleto nacionalista, sem perceber que ela transcendia esta contingência. Tem-se assim um exemplo bem claro de como os contemporâneos muitas vezes são os piores intérpretes de uma obra.

Mas, com o passar do tempo, tanto a crítica russa como a ocidental ocuparam-se dela com particular empenho. Nietzsche escreveria a Overbeck numa carta: "Um achado fortuito numa livraria: *Memórias do subsolo* de Dostoiévski (...) A voz do sangue (como denominá-lo de outro modo?) fez-se ouvir de imediato e minha alegria não teve limites".[3]

---

[3] *Apud* Tzvetan Todorov, notícia biobibliográfica incluída em F. M. Dostoiévski, *Notes d'un souterrain*, Paris, Aubier Montaigne, 1972, tradução e notas de Lily Denis.

Para André Gide, em *Dostoiévski*, as *Memórias* seriam "o ponto culminante de sua carreira", "o esteio (*clé de voûte*) de sua obra".[4]

George Steiner considerou esta novela como "provavelmente o mais dostoievskiano dos livros"[5] e uma verdadeira *suma* de toda a sua obra.[6]

D. S. Mirsky, escreveria em sua história da literatura russa: "Ela não pode ser recomendada àqueles que não são bastante fortes para sobrepujá-la nem bastante inocentes para não se envenenarem. Ela é um veneno forte, sendo preferível deixá-lo intocado".[7]

Górki deixou uma anotação: "Para mim, todo Nietzsche está em *Memórias do subsolo*. Neste livro — e até hoje não o sabem ler — se dá para toda a Europa a fundamentação do niilismo e do anarquismo. Nietzsche é mais grosseiro que Dostoiévski".[8]

Traços deste escrito se encontram em muitas obras filosóficas. Por exemplo, quantas páginas do existencialismo francês se ligam diretamente com ele!

E ao mesmo tempo, sua marca é muito forte em toda a literatura moderna. Certamente, podem referir-se particularmente a esta novela as palavras admiráveis de Otto Maria Carpeaux, num dos primeiros ensaios que publicou no Brasil: "Existem poucos escritores cuja obra tenha sido tão tenazmente mal-compreendida como a de Dostoiévski. Dostoiévski é,

---

[4] André Gide, *Dostoïevski*, Paris, Gallimard, s.d., p. 195.

[5] George Steiner, *Tolstoy or Dostoievski*, Londres/Boston, Faber and Faber, 1980, p. 147.

[6] George Steiner, *op. cit.*, p. 228.

[7] D. S. Mirsky, *A History of Russian Literature from its Beginnings to 1900*, Nova York, Vintage Books, 1958, p. 286.

[8] Publicado na revista *Rúskaia Litieratura*, nº 2, de 1968, citado por E. I. Kiiko, numa nota ao vol. V das *Obras completas de Dostoiévski*.

senão o maior, decerto o mais poderoso escritor do século XIX; ou do século XX, pois a sua obra constitui o marco entre dois séculos de literatura. Literariamente, tudo o que é pré--dostoievskiano é pré-histórico; ninguém escapa à sua influência subjugadora, nem sequer os mais contrários".[9]

Desde o começo do texto, rompe-se o padrão corrente na ficção do século XIX: aquela declaração, na nota introdutória, com a assinatura de Dostoiévski (isto em 1864!), de que ele ia apresentar um personagem "inventado". Pois, se nos escritos da época aparece às vezes um questionamento do princípio da verossimilhança, uma declaração tão peremptória e extremada punha em questão o próprio estatuto da literatura, em sua relação com o representado. Aliás, deveria ser algo muito caro a Dostoiévski, pois pelo menos em duas outras ocasiões ele haveria de reafirmar este vínculo entre literatura e invenção: no preâmbulo ao conto "A tímida" (também traduzido para o português como "Uma doce criatura", "Ela era doce e humilde" e "A dócil"), onde sublinha a importância do fantástico, para se alcançar o real; e "Um menino na festa de Natal de Cristo", quase sempre publicado nas antologias de contos no Ocidente com a omissão do parágrafo inicial, onde o autor confessa ter inventado o relato.

No caso das *Memórias do subsolo*, aquela subjetividade agressiva e torturada do narrador-personagem, o seu discurso alucinado, sua veemência desordenada, o fluxo contínuo de sua fala, que parece estar sempre transbordando, pode ser ouvido por trás da obra de muitos escritores da modernidade.

OBSERVAÇÃO:
O título do original, *Zapíski iz podpólia*, tão belo e incisivo em russo, foi traduzido para o francês como *Notes d'un*

[9] Otto Maria Carpeaux, "Ensaios de interpretação dostoievskiana", em *A cinza do purgatório*, Rio de Janeiro, Casa do Estudante do Brasil, 1942, p. 176.

Prefácio

souterrain, Le sous-sol, L'esprit souterrain, La voix souterraine, Du fond du souterrain, Mémoires écrits dans un souterrain, Dans mon souterrain, Notes dans un sous-sol, Le souterrain; e para o inglês como *Memoirs from Underground, Notes from the Underground* e, estranhamente, *Letters from the Underworld*. Em nossa língua, o título já foi traduzido como *Notas do subterrâneo*.

Este último está semanticamente correto, pois a tradução mais imediata de *zapíski* é anotações, apontamentos, notas. Mas, visto que, por extensão, a palavra russa também significa memórias, reminiscências, diário, achei preferível *Memórias do subsolo*.

MEMÓRIAS DO SUBSOLO

Tanto o autor como o texto destas memórias são, naturalmente, imaginários. Todavia, pessoas como o seu autor não só podem, mas devem até existir em nossa sociedade, desde que consideremos as circunstâncias em que, de um modo geral, ela se formou. O que pretendi foi apresentar ao público, de modo mais evidente que o habitual, um dos caracteres de um tempo ainda recente. Trata-se de um dos representantes da geração que vive os seus dias derradeiros. No primeiro trecho, intitulado "O subsolo", o próprio personagem se apresenta, expõe seus pontos de vista e como que deseja esclarecer as razões pelas quais apareceu e devia aparecer em nosso meio. No trecho seguinte, porém, já se encontrarão realmente "memórias" desse personagem sobre alguns acontecimentos da sua vida. [Nota de F. M. Dostoiévski]

1.
O SUBSOLO

I

Sou um homem doente... Um homem mau. Um homem desagradável. Creio que sofro do fígado. Aliás, não entendo níquel da minha doença e não sei, ao certo, do que estou sofrendo. Não me trato e nunca me tratei, embora respeite a medicina e os médicos. Ademais, sou supersticioso ao extremo; bem, ao menos o bastante para respeitar a medicina. (Sou suficientemente instruído para não ter nenhuma superstição, mas sou supersticioso.) Não, se não quero me tratar, é apenas de raiva. Certamente não compreendeis isto. Ora, eu compreendo. Naturalmente não vos saberei explicar a quem exatamente farei mal, no presente caso, com a minha raiva; sei muito bem que não estarei a "pregar peças" nos médicos pelo fato de não me tratar com eles; sou o primeiro a reconhecer que, com tudo isto, só me prejudicarei a mim mesmo e a mais ninguém. Mas, apesar de tudo, não me trato por uma questão de raiva. Se me dói o fígado, que doa ainda mais.

Já faz muito tempo que vivo assim: uns vinte anos. Tenho quarenta, agora. Já estive empregado, atualmente não. Fui um funcionário maldoso, grosseiro, e encontrava prazer nisso. Não aceitava gratificações; no entanto, devia premiar-me ao menos desse modo. (É um mau gracejo; mas não vou riscá-lo. Escrevi-o pensando que sairia muito espirituoso; mas agora, percebendo que apenas pretendi assumir uma atitude arrogante e ignóbil, não o riscarei, de propósito!) Quando os solicitantes, com pedidos de informações, se acercavam da mesa junto à qual me sentava, eu lhes respondia com um ranger de dentes, e sentia um prazer insaciável quando conseguia magoar alguém. Conseguia isto quase sempre. Na maior parte dos casos, aparecia gente tímida: era natural, em se tratando de solicitantes. Mas, dentre os que se trajavam com presunção, eu não suportava particularmente certo oficial. Ele teimava em não se sujeitar e tilintava o sabre de modo abominável. Por causa daquele sabre, guerreamos um ano e meio. Finalmente, venci. Ele deixou de tilintá-lo. Aliás, isso aconteceu ainda na minha mocidade. Mas sabeis, senhores, em que consistia o ponto principal da minha raiva? O caso todo, a maior ignomínia, consistia justamente em que, a todo momento, mesmo no instante do meu mais intenso rancor, eu tinha consciência, e de modo vergonhoso, de que não era uma pessoa má, nem mesmo enraivecida; que apenas assustava passarinhos em vão e me divertia com isso. Minha boca espumava, mas, se alguém me trouxesse alguma bonequinha, me desse chazinho com açúcar, é possível que me acalmasse. Ficaria até comovido do fundo da alma, embora, certamente, depois rangesse os dentes para mim mesmo e, de vergonha, sofresse de insônia por alguns meses. É hábito meu ser assim.

Menti a respeito de mim mesmo quando disse, ainda há pouco, que era um funcionário maldoso. Menti de raiva. Eu apenas me divertia, quer com os solicitantes, quer com o oficial, mas, na realidade, nunca pude tornar-me mau. A todo momento constatava em mim a existência de muitos e muitos elementos contrários a isso. Sentia que esses elementos contraditórios realmente fervilhavam em mim. Sabia que eles haviam fervilhado a vida toda e que pediam para sair, mas eu não deixava. Não deixava, de propósito não os deixava extravasar. Atormentavam-me até a vergonha, chegavam a provocar-me convulsões e, por fim, acabaram por enjoar realmente! Não vos parece que eu, agora, me arrependo de algo perante vós, que vos peço perdão?... Estou certo de que é esta a vossa impressão... Pois asseguro-vos que me é indiferente o fato de que assim vos pareça...

Não consegui chegar a nada, nem mesmo tornar-me mau: nem bom nem canalha nem honrado nem herói nem inseto. Agora, vou vivendo os meus dias em meu canto, incitando--me a mim mesmo com o consolo raivoso — que para nada serve — de que um homem inteligente não pode, a sério, tornar-se algo, e de que somente os imbecis o conseguem. Sim, um homem inteligente do século dezenove precisa e está moralmente obrigado a ser uma criatura eminentemente sem caráter; e uma pessoa de caráter, de ação, deve ser sobretudo limitada. Esta é a convicção dos meus quarenta anos. Estou agora com quarenta anos; e quarenta anos são, na realidade, a vida toda; de fato, isso constitui a mais avançada velhice. Viver além dos quarenta é indecente, vulgar, imoral! Quem é que vive além dos quarenta? Respondei-me sincera e honestamente. Vou dizer-vos: os imbecis e os canalhas. Vou dizer isto na cara de todos esses anciães respeitáveis e perfumados, de cabelos argênteos! Vou dizê-lo na cara de todo mundo! Tenho direito de falar assim, porque eu mesmo hei de viver até os sessenta! até os setenta! até os oitenta!... Um momento! Deixai-me tomar fôlego...

Pensais acaso, senhores, que eu queira fazer-vos rir? É um engano. Não sou de modo algum tão alegre como vos parece, ou como vos possa parecer; aliás, se, irritados com toda esta tagarelice (e eu já sinto que vos irritastes), tiverdes a ideia de me perguntar quem, afinal, sou eu, vou responder: sou um assessor-colegial.[1] Fiz parte do funcionalismo a fim de ter algo para comer (unicamente para isto), e quando, no ano passado, um dos meus parentes afastados me deixou seis mil rublos em seu testamento, aposentei-me imediatamente e passei a viver neste meu cantinho. Já antes disso vivi aqui, mas agora instalei-me nele. Tenho um quarto ordinário nos

---

[1] Posto mediano da administração civil, no regime tsarista. (N. do T.)

arredores da cidade. A minha criada é uma aldeã velha, ruim por estupidez, e, além disso, cheira sempre mal. Dizem-me que o clima de Petersburgo está-me prejudicando e que, para os meus insignificantes recursos, a vida aqui é muito cara. Sei disso; sei melhor que todos estes conselheiros e protetores experimentados e sábios. Mas ficarei em Petersburgo; não deixarei esta cidade! Não a deixarei porque... Eh! Mas, na realidade, me é de todo indiferente o fato de que a deixe ou não.

Dizei-me: de que pode falar um homem decente, com o máximo prazer?

Resposta: de si mesmo.

Então, também vou falar de mim.

II

Tenho agora vontade de vos contar, senhores, queirais ouvi-lo ou não, por que não consegui tornar-me sequer um inseto. Vou dizer-vos solenemente que, muitas vezes, quis tornar-me um inseto. Mas nem disso fui digno. Juro-vos, senhores, que uma consciência muito perspicaz é uma doença, uma doença autêntica, completa. Para o uso cotidiano, seria mais do que suficiente a consciência humana comum, isto é, a metade, um quarto a menos da porção que cabe a um homem instruído do nosso infeliz século dezenove e que tenha, além disso, a infelicidade de habitar Petersburgo, a cidade mais abstrata e meditativa de todo o globo terrestre. (Existem cidades meditativas e não meditativas.) Seria de todo suficiente, por exemplo, a consciência com que vivem todos os chamados homens diretos e de ação. Pensais, sou capaz de jurar, que escrevo tudo isso para causar efeito, para gracejar sobre os homens de ação, e também por mau gosto; que faço tilintar o sabre, tal como o meu oficial. Mas, senhores, quem é que pode vangloriar-se das próprias doenças, e ainda procurar causar com elas um efeito?

Aliás, que digo? Todos fazem isto; é justamente das doenças que se vangloriam, e eu talvez mais que ninguém. Não discutamos; a minha objeção é absurda. Apesar de tudo, estou firmemente convencido de que não só uma dose muito grande de consciência, mas qualquer consciência, é uma doença. Insisto nisso. Mas deixemo-lo também por alguns instantes. Digam-me o seguinte: por que me acontecia, como se fosse de propósito, naqueles momentos — sim, exatamente naqueles momentos em que eu era capaz de melhor apreciar todas as sutilezas do "belo e sublime",[2] como outrora se dizia entre nós —, por que me acontecia não apenas conceber, mas realizar atos tão feios, atos que... bem, numa palavra, atos como os que todos talvez cometam, mas que, como se fosse de propósito, me ocorriam exatamente nos momentos em que eu mais nitidamente percebia que de modo algum devia cometê-los? Quanto mais consciência eu tinha do bem e de tudo o que é "belo e sublime", tanto mais me afundava em meu lodo, e tanto mais capaz me tornava de imergir nele por completo. Porém o traço principal estava em que tudo isso parecia ocorrer-me não como que por acaso, mas como algo que tinha de ser. Dir-se-ia que este era o meu estado normal e que não se tratava de doença, de um defeito, de modo que, por fim, perdi até a vontade de lutar com este defeito. Finalmente, quase acreditei (e talvez tenha acreditado realmente) que o meu estado normal era esse. E, no início, quanto não sofri nessa luta! Não acreditava que o mesmo acontecesse a outrem e, por isso, mantive-o em segredo a vida toda. Envergonhava-me disso (e talvez me envergonhe ainda hoje); chegava a ponto de sentir certo prazerzinho secreto, anormal, ignobilzinho quando às vezes, em alguma horrível noite de Petersburgo, regressava ao

---

[2] Alusão à obra de Kant, *Observação sobre os sentimentos do belo e do sublime* (1764). Segundo afirmação de I. Z. Siérman, em nota à edição soviética de 1956-1958, o livro tornou a expressão "belo e sublime" muito popular entre os críticos russos das décadas de 1830 e 1840. (N. do T.)

meu cantinho e me punha a lembrar com esforço que, naquele dia, tornara a cometer uma ignomínia e que era impossível voltar atrás. Remordia-me então em segredo, dilacerava-me, rasgava-me e sugava-me, até que o amargor se transformasse, finalmente, em certa doçura vil, maldita e, depois, num prazer sério, decisivo! Sim, num prazer, num prazer! Insisto nisso. Se abordei o assunto, foi porque desejo insistentemente saber ao certo o seguinte: terão outras pessoas semelhantes prazeres? Vou explicar-vos: o prazer provinha justamente da consciência demasiado viva que eu tinha da minha própria degradação; vinha da sensação que experimentava de ter chegado ao derradeiro limite; de sentir que, embora isso seja ruim, não pode ser de outro modo; de que não há outra saída; de que a pessoa nunca mais será diferente, pois, ainda que nos sobrasse tempo e fé para isto, certamente não teríamos vontade de fazê-lo e, mesmo se quiséssemos, nada faríamos neste sentido, mesmo porque em que nos transformaríamos? E o principal, o fim derradeiro, está em que tudo isto ocorre segundo leis normais e básicas da consciência hipertrofiada, de acordo com a inércia, decorrência direta dessas leis, e, por conseguinte, não é o caso de se transformar; simplesmente não há nada a fazer. Resulta o seguinte, por exemplo, da consciência hipertrofiada: tu tens razão em ser um canalha, como se fosse consolo para um canalha perceber que é realmente um canalha. Mas chega... Eh, tagarelei muito, mas o que ficou explicado?... Como se explica aí o prazer? Mas eu explico! Hei de ir até o fim! Foi por isso que tomei da pena...

Tenho, por exemplo, um terrível amor-próprio. Sou desconfiado e me ofendo com facilidade, como um corcunda ou um anão, mas, realmente, tive momentos tais que, se me acontecesse receber um bofetão, talvez até me alegrasse com o fato. Falo a sério: com certeza, eu saberia encontrar também nisso uma espécie de prazer — naturalmente o prazer do desespero, mas é justamente no desespero que ocorrem os prazeres mais ardentes, sobretudo quando já se tem uma consciência muito forte do inevitável da própria condição. E, no caso do bofetão... sim, fica-se comprimido pela consciência do mingau a que nos reduziram. E o principal, por mais que se rumine o caso, está em que eu sou o primeiro culpado de tudo e, o que é mais ofensivo, culpado sem culpa e, por assim dizer, segundo as leis da natureza. Pois, em primeiro lugar, tenho culpa de ser mais inteligente que todos à minha volta. (Considerei-me, continuamente, mais inteligente que todos à minha volta, e às vezes — acreditam? — tinha até vergonha disso. Pelo menos, a vida toda olhei de certo modo para o lado e nunca pude fitar as pessoas nos olhos.) Finalmente, sou culpado porque, mesmo que houvesse em mim generosidade, eu teria com isso apenas mais sofrimento devido à consciência de toda a sua inutilidade. Certamente eu não saberia fazer nada com a minha generosidade: nem perdoar, pois o ofensor talvez me tivesse batido segundo as leis da natureza, e não se pode perdoar as leis da natureza nem esquecer, pois, ainda que se trate das leis da natureza, sempre é ofensivo. Finalmente, mesmo que eu renunciasse a ser generoso e, ao contrário, quisesse vingar-me do ofensor, de nada poderia vingar-me nem de ninguém, pois, certamente, não ousaria fazer algo, mesmo que pudesse. E não ousaria por quê? Quero dizer agora duas palavras a este respeito.

III

Como é que faz, por exemplo, aquele que sabe vingar-se e, de modo geral, defender-se? Quando o sentimento de vingança, suponhamos, se apodera dele, nada mais resta em seu espírito, a não ser este sentimento. Um cavalheiro desse tipo atira-se diretamente ao objetivo, como um touro enfurecido, de chifres abaixados, e somente um muro pode detê-lo. (Aliás, diante de um muro tais cavalheiros, isto é, os homens diretos e de ação, cedem terreno com sinceridade. O muro para eles não é causa de desvio, como, por exemplo, para nós, homens de pensamento, e que, por conseguinte, nada fazemos; não é um pretexto para arrepiar carreira, pretexto em que nós outros costumamos não acreditar, mas que recebemos sempre com grande alegria. Não, eles cedem terreno com toda a sinceridade. O muro tem para eles alguma coisa que acalma; é algo que, do ponto de vista moral, encerra uma solução — algo definitivo e, talvez, até místico... Mas deixemos o muro para mais tarde.) Pois bem, um homem desses, um homem direto, é que eu considero um homem autêntico, normal, como o sonhou a própria mãe carinhosa, a natureza, ao criá-lo amorosamente sobre a terra. Invejo um homem desses até o extremo da minha bílis. Ele é estúpido, concordo, mas talvez o homem normal deva mesmo ser estúpido, sabeis? Talvez isto seja até muito bonito. Estou tanto mais convencido desta suspeita, por assim dizer, que se tomarmos, por exemplo, a antítese do homem normal, isto é, o homem de consciência hipertrofiada, o homem saído, naturalmente, não do seio da natureza, mas de uma retorta (já é quase misticismo, senhores, mas eu suspeito isto também), o que se verifica, então, é que este homem de retorta a tal ponto chega a ceder terreno para a sua antítese que a si mesmo se considera, com toda a sua consciência hipertrofiada, um camundongo e não um homem. Talvez seja um camundongo de consciência hipertrofiada, mas sempre é um camundongo. Ora, trata-se de um homem e, por conseguinte, de tudo o mais também. E o mais importante é que ele mesmo se considera a si mesmo um camundongo; ninguém lhe pede isto, e este é um ponto importante. Mas vejamos agora este camundongo em ação. Suponhamos, por exemplo, que ele esteja ofendido (quase sempre está) e queira vingar-se. Acumula-se nele, provávelmente, mais rancor que no *homme de la nature et de la vérité*.[3] É possível que um

---

[3] Citação do seguinte trecho das *Confissões* de Jean-Jacques Rousseau: "Je veux montrer à mes semblables un homme dans toute la vérité de la

desejo baixo, ignóbil, de retribuir ao ofensor o mesmo dano, ranja nele ainda mais ignobilmente que no *homme de la nature et de la vérité*, porque este, devido à sua inata estupidez, considera sua vingança um simples ato de justiça; já o camundongo, em virtude de sua consciência hipertrofiada, nega haver nisso qualquer justiça. Atinge-se, por fim, a própria ação, o próprio ato de vingança. O infeliz camundongo já conseguiu acumular, em torno de si, além da torpeza inicial, uma infinidade de outras torpezas, na forma de interrogações e dúvidas; acrescentou à primeira interrogação tantas outras não resolvidas que, forçosamente, se acumula ao redor dele certo líquido repugnante e fatídico, certa lama fétida, que consiste nas suas dúvidas, inquietações e, finalmente, nos escarros — que caem sobre ele em profusão — dos homens de ação agrupados solenemente ao redor, na pessoa de juízes e ditadores, e que riem dele a mais não poder, com toda a capacidade das suas goelas sadias. Naturalmente, resta-lhe sacudir a patinha em relação a tudo e, com um sorriso de fictício desprezo, no qual ele mesmo não acredita, esgueirar-se vergonhosamente para a sua fendazinha. Ali, no seu ignóbil e fétido subsolo, o nosso camundongo, ofendido, machucado, coberto de zombarias, imerge logo num rancor frígido, envenenado e, sobretudo, sempiterno. Há de lembrar, quarenta anos seguidos, a sua ofensa, até os derradeiros e mais vergonhosos pormenores; e cada vez acrescentará por sua conta novos pormenores, ainda mais vergonhosos, zombando maldosamente de si mesmo e irritando-se com a sua própria imaginação. Ele próprio se envergonhará dessa imaginação, mas, assim mesmo, tudo lembrará, tudo examinará, e há de inventar sobre si mesmo fatos inverossímeis, com o pretexto de que também estes poderiam ter acontecido, e nada perdoará. Possivelmente, começará a vingar-se, mas de certo modo interrompido, com

nature; et cet homme ce sera moi" (Quero mostrar a meus semelhantes um homem em toda a verdade da natureza; e este homem serei eu). (N. do T.)

miuçalhas, por trás do fogão, incógnito, não acreditando no direito nem no êxito da vingança e sabendo de antemão que todas estas tentativas de vindita vão fazê-lo sofrer cem vezes mais que ao objeto da sua vingança, pois este talvez não precise sequer coçar-se. No seu leito de morte, há de tornar a lembrar tudo com os juros acumulados em todo esse tempo e... Mas é exatamente neste frígido e repugnante semidesespero, nesta semicrença, neste consciente enterrar-se vivo, por aflição, no subsolo, por quarenta anos; nesta situação intransponível criada com esforço e, apesar de tudo, um tanto duvidosa, em toda esta peçonha dos desejos insatisfeitos que penetraram no interior do ser; em toda esta febre das vacilações, das decisões tomadas para sempre e dos arrependimentos que tornam a surgir um instante depois, em tudo isto é que consiste o sumo daquele estranho prazer de que falei. Este prazer é a tal ponto sutil, e a tal ponto às vezes inapreensível à consciência, que as pessoas um pouquinho limitadas ou mesmo simplesmente as de nervos fortes não compreenderão dele nem um pouco sequer. "Talvez não compreendam também aqueles", acrescentareis com um sorriso largo, "que nunca foram esbofeteados", e deste modo aludireis delicadamente a que, em minha vida, eu provavelmente sofri também bofetadas e que falo com conhecimento de causa. Juro por tudo que pensais assim. Mas acalmai-vos, meus senhores, não recebi bofetões, embora me seja de todo indiferente o que penseis a este respeito. É possível que eu mesmo lamente o fato de ter distribuído em minha vida poucas bofetadas. Mas chega, nenhuma palavra mais sobre esse tema, por mais que ele vos interesse.

Continuo tranquilamente a discorrer sobre as pessoas de nervos fortes, que não compreendem certa sutileza nos prazeres. Em determinados casos, por exemplo, esses senhores, ainda que se esgoelem à toa, como touros, e ainda que isso, admitamos, lhes dê uma honra muito grande, diante do impossível, como eu já disse, eles imediatamente se conformam. O impossível quer dizer um muro de pedra? Mas que muro de pedra? Bem, naturalmente as leis da natureza, as conclusões das ciências naturais, a matemática. Quando vos demonstram, por exemplo, que descendeis do macaco, não adianta fazer careta, tendes que aceitar a coisa como ela é. Se vos demonstram que, em essência, uma gotícula de vossa própria gordura vos deve ser mais cara do que cem mil dos vossos semelhantes, e que neste resultado ficarão abrangidos, por fim, todos os chamados deveres, virtudes e demais tolices e preconceitos, deveis aceitá-lo assim mesmo, nada há a fazer, porque dois e dois são quatro, é matemática. E experimentai retrucar.

"Não é possível", vão gritar-vos, "não podeis rebelar-vos: isto significa que dois e dois são quatro! A natureza não vos pede licença; ela não tem nada a ver com os vossos desejos nem com o fato de que as suas leis vos agradem ou não. Deveis aceitá-la tal como ela é e, consequentemente, também todos os seus resultados. Um muro é realmente um muro... etc. etc." Meu Deus, que tenho eu com as leis da natureza e com a aritmética, se, por algum motivo, não me agradam essas leis e o dois e dois são quatro? Está claro que não romperei esse muro com a testa, se realmente não tiver forças para fazê-lo, mas não me conformarei com ele unicamente pelo fato de ter pela frente um muro de pedra e de terem sido insuficientes as minhas forças.

Até parece que semelhante muro de pedra é realmente um tranquilizador e que de fato contém alguma palavra para o mundo, só porque constitui o dois e dois são quatro. Oh, absurdo dos absurdos! Não é o mesmo tudo compreenderdes, tudo aprenderdes, todas as impossibilidades e muros de pedra; não vos conformardes com nenhuma dessas impossibilidades e muros de pedra, se vos repugna a resignação; atingirdes pelo caminho das combinações lógicas inevitáveis as conclusões mais ignóbeis sobre o tema eterno de que se tem certa culpa mesmo do muro de pedra, embora, mais uma vez, seja bem evidente que não se tem qualquer culpa, e, em consequência disto, rangendo os dentes em silêncio e com impotência, imobilizar-vos voluptuosamente em inércia, sonhando que não há contra quem ter rancor; que não se encontra um objeto e que talvez nunca se encontre; que há nisso uma escamoteação, uma fraude, uma trapaça, simplesmente uma repugnante confusão, não se sabe o quê, não se sabe quem, mas que, apesar de todas estas ignorâncias e fraudes, sentis uma dor, e, quanto mais ignorais, tanto mais sentis essa dor!

IV

"Ha, ha, ha! Depois disso, o senhor encontrará prazer mesmo numa dor de dentes!", exclamareis rindo.

— Como não? Há prazer mesmo numa dor de dentes — respondo. — Tive dor de dentes um mês inteiro; sei o que é isto. Neste caso, naturalmente, a pessoa não se enfurece em silêncio, mas geme; no entanto, não são gemidos sinceros, são gemidos maldosos, e tudo consiste justamente nessa maldade. Nesses gemidos é que se expressa o prazer do sofredor; se não sentisse neles prazer, não iria sequer soltá-los. É um bom exemplo, meus senhores, e vou desenvolvê-lo. Nestes gemidos se expressa, em primeiro lugar, toda a inutilidade da vossa dor, humilhante para a nossa consciência; toda a legalidade da natureza, com a qual, naturalmente, pouco vos importais, mas que, apesar de tudo, vos faz sofrer, enquanto ela não sofre. Expressa-se neles a consciência de que não tendes um inimigo, mas a dor existe; a consciência de que, apesar de todos os Wahenheim,[4] sois plenamente escravos dos vossos dentes; de que, se alguém quiser, os vossos dentes deixarão de doer, e, se não quiser, hão de doer uns três meses mais; finalmente, se ainda não concordais e mesmo assim protestais,

[4] Em 1864 apareciam frequentemente nos jornais de São Petersburgo anúncios dos dentistas Wahenheim. (Nota de I. Z. Siérman para a edição soviética de 1956-1958.)

resta-vos, para vosso consolo, dar uma surra em vossa própria pessoa ou esmurrar do modo mais doloroso o vosso muro, e absolutamente nada mais. Bem, é justamente por essas ofensas sangrentas, por essas zombarias, não se sabe da parte de quem, que começa por fim o prazer, que chega, às vezes, à suprema voluptuosidade. Peço-vos, senhores: prestai um dia atenção aos gemidos de um homem instruído do século XIX que sofra de dor de dentes, no segundo ou terceiro dia da afecção, por exemplo, quando ele já começa a gemer, não como o fazia no primeiro dia, isto é, não simplesmente porque lhe doam os dentes; não do modo como o faz algum rude mujique, mas como geme um homem atingido pelo desenvolvimento geral e pela civilização europeia, um homem "que renunciou ao solo e aos princípios populares",[5] como se diz agora. Os seus gemidos tornam-se maus, perversos, vis, e continuam, dias e noites seguidos. E ele próprio percebe que não trará nenhum proveito a si mesmo com os seus gemidos. Melhor do que ninguém, ele sabe que apenas tortura e irrita a si mesmo e aos demais. Sabe que até o público, perante o qual se esforça, e toda a sua família já o ouvem com asco, não lhe dão um níquel de crédito e sentem, no íntimo, que ele poderia gemer de outro modo, mais simplesmente, sem garganteios nem sacudidelas, e que se diverte, por maldade e raiva. Pois bem, é justamente em todos esses atos conscientes e infames que consiste a volúpia. "Eu vos inquieto, faço-vos mal ao coração, não deixo ninguém dormir. Pois não durmais, senti vós também, a todo instante, que estou com dor de dentes. Para vós, eu já não sou o herói, que anteriormente quis parecer, mas simplesmente um homem ruinzinho, um *chenapan*.[6] Bem, seja! Estou muito contente porque vós me decifrastes. Senti-vos mal, ouvindo os meus gemidos ignobeizinhos? Pois

[5] Expressão muito em voga nos meios revolucionários russos da época, dos quais surgiria, poucos anos depois, o movimento populista. (N. do T.)

[6] Vagabundo, bandido, calhorda, em francês. (N. do T.)

que vos sintais mal; agora, vou soltar, em vossa intenção, um garganteio ainda pior..." Não compreendeis, mesmo agora, senhores? Não, ao que parece é preciso adquirir um profundo desenvolvimento, uma profunda consciência, para compreender todas as sinuosidades dessa volúpia! Estais rindo? Fico muito contente. Os meus gracejos, senhores, são naturalmente de mau gosto, desiguais, incoerentes, repassados de autodesconfiança. Mas isto realmente ocorre porque eu não me respeito. Pode porventura um homem consciente respeitar-se um pouco sequer?

V

Bem, acaso pode respeitar-se um pouco sequer o homem que tentou encontrar prazer mesmo no sentimento da própria abjeção? Não digo isto agora devido a algum arrependimento melífluo. E, de modo geral, nunca suportei dizer: "Desculpe, papai, não vou mais fazer isto", não porque eu fosse incapaz de dizê-lo, mas, ao contrário, justamente porque talvez fosse demasiado capaz disso, não é mesmo? Como que de propósito, acontecia-me ser levado a fazê-lo justamente quando não tinha qualquer culpa, nem sequer em pensamento. Isso já era a pior vileza. E ao mesmo tempo eu ficava, no entanto, comovido até a alma, arrependia-me, vertia lágrimas e, naturalmente, ludibriava a mim mesmo, embora absolutamente não fingisse. Era o coração que praticava de certo modo uma torpeza... No caso, não se podia sequer culpar as leis da natureza, embora, realmente, as leis da natureza me ofendessem sempre e mais que tudo, a vida inteira. Faz mal lembrar tudo isto, e naquele tempo também fazia mal. Com efeito, ao cabo de um minuto, mais ou menos, já me acontecia perceber, enraivecido, que todos aqueles arrependimentos, todos aqueles estados comovidos, aquelas juras de regeneração, eram mentira, uma repugnante e afetada mentira. Mas perguntai: para que me mutilava e me atormentava assim? Resposta: porque era muito enfadonho ficar sentado de braços cruzados. Lançava-me, então, nas minhas escapatórias. Realmente era assim. Observai-vos melhor, senhores, e compreendereis que assim é. Imaginava, para mim mesmo, aventuras e inventava uma vida, para viver ao menos de algum modo. Quantas vezes me aconteceu, por exemplo, ficar ofendido não por um motivo determinado, mas intencionalmente! E eu mesmo sabia, por vezes, que me ofendera por nada, que aceitara voluntariamente a ofensa; mas essas coisas levam uma pessoa a tal estado que, por fim, ela realmente fica ofendida. A vida toda algo me arrastava a fazer esses trejeitos, a tal ponto que acabei perdendo poder sobre mim mesmo. De outra feita quis por força apaixonar-me; isto me aconteceu duas vezes. E realmente sofri, meus senhores, asseguro-vos. No fundo da alma, não acreditamos estar sofrendo, há uma zombaria que desponta, mas, assim mesmo, sofria de verdade; tinha ciúmes, ficava fora de mim... E tudo isso por enfado, senhores, unicamente por enfado; a inércia me esmagara. Com efeito, o resultado direto e legal da consciência é a inércia, isto é, o ato de ficar conscientemente sentado de braços cruzados. Já aludi a isto há pouco. Repito, repito com insistência: todos os homens diretos e de ação são ativos justamente por serem parvos e limitados. Como explicá-lo? Do seguinte modo: em virtude de sua limitada inteligência, tomam as causas mais próximas e secundárias pelas causas primeiras e, deste modo, se convencem mais depressa e facilmente que os demais de haver encontrado o fundamento indiscutível para a sua ação e, então, se acalmam; e isto é de fato o mais importante. Para começar a agir, é preciso, de antemão, estar de todo tranquilo, não conservando quaisquer dúvidas. E como é que eu, por exemplo, me tranquilizarei? Onde estão as minhas causas primeiras, em que me apoie? Onde estão os fundamentos? Onde irei buscá-los? Faço exercício mental e, por conseguinte, em mim, cada causa primeira arrasta imediatamente atrás

Memórias do subsolo

de si outra, ainda anterior, e assim por diante, até o infinito. Tal é, de fato, a essência de toda consciência, do próprio ato de pensar. E assim chegamos de novo às leis da natureza. E qual é, afinal, o resultado? Exatamente o mesmo. Lembrai--vos: ainda há pouco falei de vingança. (Provavelmente não atentastes nisso.) Já foi dito: o homem se vinga porque acredita que é justo. Quer dizer que ele encontrou a causa primeira, o fundamento: a justiça. Isto é, como ele está tranquilizado por todos os lados, vinga-se calmamente e com êxito, convicto de que pratica uma ação honesta e justa. Mas eu não vejo nisso justiça nem qualquer espécie de virtude; se começar a vingar--me, será unicamente por maldade. Esta, naturalmente, poderia sobrepujar tudo, todas as minhas dúvidas e, de fato, poderia funcionar com pleno êxito em lugar da causa primeira, e justamente por não ser a causa. Mas que fazer se não tenho sequer maldade? (Ainda há pouco foi assim mesmo que eu comecei.) O meu rancor, em virtude mais uma vez dessas execráveis leis da consciência, está sujeito à decomposição química. Quando se repara, o objeto volatiliza-se, as razões se evaporam, não se encontra o culpado, a ofensa não é mais ofensa, mas *fatum*, algo semelhante à dor de dentes, da qual ninguém é culpado, e, por conseguinte, resta mais uma vez a mesma saída, isto é, bater no muro, do modo mais doloroso. Assim, desiste-se, por não se ter encontrado a causa primeira. Mas experimenta apaixonar-te cegamente pelo teu sentimento, sem discussão, sem uma causa primeira, repelindo a consciência ao menos durante esse período. Odeia ou ama, apenas para não ficares sentado de braços cruzados. Depois de amanhã, o mais tardar, começarás a odiar-te, porque ludibriaste a ti mesmo, conscientemente. Resultado: uma bolha de sabão e a inércia. Ah, senhores, é possível que me considere um homem inteligente apenas porque, em toda a vida, não pude começar nem acabar coisa alguma. Admitamos que eu seja um tagarela, um tagarela inofensivo, magoado, como todos nós. Mas que fazer, se a destinação única e direta de todo homem inteligente é apenas a tagarelice, uma intencional transferência do oco para o vazio?[7]

VI

Oh, se eu não fizesse nada unicamente por preguiça! Meu Deus, como eu me respeitaria então! Respeitar-me-ia justamente porque teria a capacidade de possuir em mim ao menos a preguiça; haveria, pelo menos, uma propriedade como que positiva, e da qual eu estaria certo. Pergunta: quem é? Resposta: um preguiçoso. Seria muito agradável ouvir isto a meu respeito. Significaria que fui definido positivamente; haveria o que dizer de mim. "Preguiçoso!" realmente é um título e uma nomeação, é uma carreira. Não brinqueis, é assim mesmo. Seria então, de direito, membro do primeiro dos clubes, e ocupar-me-ia apenas em me respeitar incessantemente. Conheci um cavalheiro que, a vida inteira, orgulhava-se com o fato de ser entendido em Laffitte.[8] Ele considerava isso sua qualidade positiva e nunca duvidava de si. Morreu com a consciência não só tranquila, mas triunfante até, e tinha toda a razão. E eu poderia, neste caso, escolher uma carreira para mim: seria preguiçoso e comilão, não do tipo comum, mas, por exemplo, dos que comungam com tudo o que é belo e sublime. Que tal? Há muito que isto me vem à mente. Este "belo e sublime" apertou-me com força a base do crânio aos quarenta anos; sim, foi aos quarenta, mas agora, oh, agora seria diferente! Imediatamente eu encontraria também o setor correspondente de atividade, ou, para ser mais exato: beber à saúde de tudo o que é belo e sublime. Eu me agarraria a toda oportunidade para, em primeiro lugar, verter uma lágrima na minha taça e, a seguir, esvaziá-la em intenção de tudo o que

[7] Em russo, uma frase feita. (N. do T.)

[8] O vinho francês Château-Laffitte. (N. do T.)

Memórias do subsolo

fosse belo e sublime; haveria de encontrar este belo e sublime até na mais ignóbil, na mais indiscutível das porcarias, e transformaria em belo e sublime tudo o que existisse no mundo. Tornar-me-ia lacrimejante como uma esponja molhada. Um pintor, por exemplo, pinta um quadro de Gué.[9] Imediatamente, eu beberia à saúde do pintor que realizou o quadro de Gué, porque amo o que é belo e sublime. Um autor escreve "como apraz a cada um";[10] imediatamente eu beberia à saúde de "cada um", porque amo tudo o que é "belo e sublime". E exigiria por isto respeito a mim mesmo, e perseguiria quem não me tributasse este respeito. Vive-se com tranquilidade, morre-se solenemente... É o encanto, um verdadeiro encanto! E eu criaria então um tal barrigão, armaria um tal queixo tríplice, elaboraria um tal nariz de sândalo que todo transeunte diria, olhando para mim: "Este é que é um figurão! Isto é que é verdadeiro e positivo!". Seja o que quiserdes, mas é agradabilíssimo ouvir opiniões assim em nosso século de negação, meus senhores.

VII

Mas tudo isto são sonhos dourados. Oh, dizei-me, quem foi o primeiro a declarar, a proclamar que o homem comete ignomínias unicamente por desconhecer os seus reais interes-

[9] Alusão provável ao quadro de N. N. Gué (1831-1894) *Vésperas secretas*, exibido, em 1863, na exposição de outono da Academia de Belas Artes, e que provocou grandes discussões na imprensa, devido ao tratamento original, realista, de um tema religioso. Dostoiévski escreveria, em 1873, no *Diário de um escritor*, sobre o mesmo assunto: "No quadro... do sr. Gué... saiu algo falso e uma ideia preconcebida, e toda falsidade constitui mentira e já não é realismo". (Nota de I. Z. Siérman para a edição soviética de 1956-1958.)

[10] Alusão ao artigo de Schedrin "Como apraz a cada um", publicado no *Sovremiênnik* (*O Contemporâneo*), em 1863. (Nota da edição citada.)

ses, e que bastaria instruí-lo, abrir-lhe os olhos para os seus verdadeiros e normais interesses, para que ele imediatamente deixasse de cometer essas ignomínias e se tornasse, no mesmo instante, bondoso e nobre, porque, sendo instruído e compreendendo as suas reais vantagens, veria no bem o seu próprio interesse, e sabe-se que ninguém é capaz de agir conscientemente contra ele e, por conseguinte, por assim dizer, por necessidade, ele passaria a praticar o bem?[11] Oh, criancinha de peito! Oh, inocente e pura criatura! Mas, em primeiro lugar, quando foi que aconteceu ao homem, em todos estes milênios, agir unicamente em prol de sua própria vantagem? E que fazer então dos milhões de fatos que testemunham terem os homens, com *conhecimento de causa*, isto é, compreendendo plenamente as suas reais vantagens, relegado estas a um plano secundário e se atirado a um outro caminho, em busca do risco, ao acaso, sem serem obrigados a isto por nada e por ninguém, mas como que não desejando justamente o caminho indicado, e aberto a custo um outro, com teimosia, a seu bel-prazer, procurando quase nas trevas esse caminho árduo, absurdo? Quer dizer, realmente, que essa teimosia e a ação a seu bel-prazer lhes eram mais agradáveis que qualquer vantagem... A vantagem! Mas o que é a vantagem? Aceitais acaso a tarefa de determinar com absoluta precisão em que consiste a vantagem humana? E se porventura acontecer que a vantagem humana, *alguma vez*, não apenas pode, mas deve até consistir justamente em que, em certos casos, desejamos para nós mesmos o prejuízo e não a vantagem? E, se é assim, se pelo menos pode existir tal possibilidade, toda a regra fica reduzida a nada. O que achais? Acontecem tais casos? Estais rindo; ride, meus senhores, mas respondei-me apenas: estarão computadas com absoluta exatidão as vantagens humanas? Não existirão algumas que não apenas não se enquadra-

[11] Neste trecho, Dostoiévski faz polêmica com Tchernichévski. (N. do T.)

ram, mas nem podem enquadrar-se em qualquer classificação? Pois, senhores, no que me é dado conhecer, levantastes todo o vosso cadastro das vantagens humanas, calculando a média, a partir das cifras estatísticas e das fórmulas científicas e econômicas. As vossas vantagens são o bem-estar, a riqueza, a liberdade, a tranquilidade etc. etc.; de modo que o homem que se declarasse, por exemplo, consciente e claramente, contra todo esse cadastro, seria, na vossa opinião — e naturalmente na minha também —, um obscurantista ou um demente completo, não é verdade? Mas eis o que é surpreendente: por que sucede que todos esses estatísticos, mestres de sabedoria e amantes da humanidade, ao computar as vantagens humanas, deixam de mencionar uma delas? Nem sequer a incluem no cômputo, na forma em que deve ser tomada, mas é disso que depende todo o cálculo. Não seria grande desgraça tomar essa vantagem também e incluí-la na lista. Mas a ruína está justamente em que esta vantagem complicada não cabe em nenhuma classificação e não se enquadra em nenhuma lista! Tenho, por exemplo, um amigo... Eh, senhores, é vosso amigo também; e de quem, de quem ele não é amigo?! Preparando-se para uma ação, esse cavalheiro no mesmo instante vos há de expor, de modo claro e enfático, como precisamente ele deve agir, de acordo com as leis da razão e da verdade. Mais ainda: perturbada e apaixonadamente, há de vos falar dos reais e normais interesses humanos; censurará, troçando, dos míopes e estúpidos que não compreendem as suas vantagens nem o verdadeiro significado da virtude; e, passado exatamente um quarto de hora, sem qualquer pretexto súbito, exterior, mas devido a algo interior, mais forte que todos os seus interesses, há de ter uma saída completamente diversa, isto é, investirá claramente contra aquilo de que ele mesmo falava: contra as leis da razão, contra a sua própria vantagem, bem, numa palavra, contra tudo... Devo prevenir-vos de que meu amigo é uma pessoa coletiva e, por isso, torna-se de certo modo difícil lançar sobre ele toda a culpa. Eis onde quero chegar, senhores! Não existirá, de fato (e eu digo isto para não transgredir a lógica), algo que seja a quase todos mais caro que as maiores vantagens (justamente a vantagem omitida, aquela de que se falou ainda há pouco), mais importante e preciosa que todas as demais e pela qual o homem, se necessário, esteja pronto a ir contra todas as leis, isto é, contra a razão, a honra, a tranquilidade, o bem-estar, numa palavra, contra todas estas coisas belas e úteis, só para atingir aquela vantagem primeira, a mais preciosa, e que lhe é mais cara que tudo?

— Bem, assim mesmo, sempre é uma vantagem — vós me interrompeis. — Perdão, ainda teremos uma explicação, e o caso não está num jogo de palavras, mas em que essa vantagem é admirável justamente por destruir continuamente todas as nossas classificações e sistemas elaborados pelos amantes da espécie humana, para a felicidade desta. Numa palavra, é muito incômoda. Mas, antes de eu vos nomear essa vantagem, quero comprometer-me pessoalmente e, por isso, proclamo com insolência que todos esses belos sistemas, todas essas teorias para explicar à humanidade os seus interesses verdadeiros, normais — a fim de que ela, ansiando inexoravelmente por atingir essas vantagens, se torne de imediato bondosa e nobre —, por enquanto tudo isso não passa, a meu ver, de pura logística! Sim, logística! Sem dúvida, afirmar essa teoria da renovação de toda a espécie humana por meio do sistema das suas próprias vantagens é, a meu ver, quase o mesmo... bem, que afirmar, por exemplo, com Buckle, que o homem é suavizado pela civilização, tornando-se por conseguinte, pouco a pouco, menos sanguinário e menos dado à guerra.[12] De acordo com a lógica, se não me engano, é a conclu-

[12] Este pensamento foi expresso pelo historiador inglês H. T. Buckle (1821-1862) no livro *História da civilização na Inglaterra* (1857-1861), cuja tradução russa, publicada em 1864-1866, foi muito popular entre a intelectualidade da época. (Nota de I. Z. Siérman para a edição soviética de 1956-1958.)

são a que ele chega. Mas o homem é a tal ponto afeiçoado ao seu sistema e à dedução abstrata que está pronto a deturpar intencionalmente a verdade, a descrer de seus olhos e seus ouvidos apenas para justificar a sua lógica. Tomo justo este exemplo por ser tão eloquente. Lançai um olhar ao redor: o sangue jorra em torrentes e, o que é mais, de modo tão alegre como se fosse champagne. Aí tendes todo o nosso século, em que viveu o próprio Buckle. Aí tendes Napoleão, tanto o grande como o atual.[13] Aí tendes a América do Norte, com a união eterna.[14] Aí está, por fim, esse caricato Schleswig-Holstein...[15] O que suaviza, pois, em nós a civilização? A civilização elabora no homem apenas a multiplicidade de sensações e... absolutamente nada mais. E, através do desenvolvimento dessa multiplicidade, o homem talvez chegue ao ponto de encontrar prazer em derramar sangue. Bem que isto já lhe aconteceu. Notastes acaso que os mais refinados sanguinários foram quase todos cavalheiros civilizados, diante dos quais todos estes Átilas e Stienka Rázin[16] não valem um caracol, e se eles não saltam aos olhos com a mesma nitidez de Átila e Stienka Rázin, é justamente porque são encontrados com demasiada frequência, são por demais comuns, e já não chamam a atenção. Pelo menos, se o homem não se tornou mais sanguinário com a civilização, ficou com certeza sanguinário de modo pior, mais ignóbil que antes. Outrora, ele via justiça no massacre e destruía, de consciência tranquila, quem julgasse necessário; hoje, embora consideremos o derramamento de sangue uma ignomínia, assim mesmo ocupamo-nos com essa ignomínia, e mais

[13] Napoleão III. (N. do T.)

[14] Referência à Guerra de Secessão. (N. do T.)

[15] Trata-se da guerra de 1863-1864, em disputa dos ducados de Schleswig e Holstein, travada pela Áustria e a Prússia contra a Dinamarca. (N. do T.)

[16] Chefe de uma grande rebelião de cossacos no século XVII. (N. do T.)

ainda que outrora. O que é pior? Decidi vós mesmos. Dizem que Cleópatra (desculpai-me este exemplo da história romana) gostava de cravar alfinetes de ouro nos seios das suas cativas, deleitando-se com seus gritos e convulsões. Direis que isto se deu numa época relativamente bárbara; que ainda vivemos numa época bárbara, porque (sempre de um ponto de vista relativo) ainda hoje se cravam alfinetes em seios; que, mesmo atualmente, embora o homem já tenha aprendido por vezes a ver tudo com mais clareza do que na época bárbara, ainda está longe de ter-se *acostumado* a agir do modo que lhe é indicado pela razão e pelas ciências. Mas, apesar de tudo, estais absolutamente convictos de que ele há de se acostumar infalivelmente a fazê-lo, quando tiver perdido de todo alguns velhos e maus hábitos e quando o bom senso e a ciência tiverem educado e orientado completa e normalmente a natureza humana. Estais convictos de que, então, o homem deixará por si mesmo de enganar-se *deliberadamente* e, por assim dizer, a seu pesar não há de querer separar a sua vontade dos seus interesses normais. Mais ainda: então, dizeis, a própria ciência há de ensinar ao homem (embora isto seja, a meu ver, um luxo) que, na realidade, ele não tem vontade nem caprichos, e que nunca os teve, e que ele próprio não passa de tecla de piano ou de um pedal de órgão; e que, antes de mais nada, existem no mundo as leis da natureza, de modo que tudo o que ele faz não acontece por sua vontade, mas espontaneamente, de acordo com as leis da natureza. Consequentemente, basta descobrir essas leis e o homem não responderá mais pelas suas ações, e sua vida se tornará extremamente fácil. Todos os atos humanos serão calculados, está claro, de acordo com essas leis, matematicamente, como uma espécie de tábua de logaritmos, até 108.000, e registrados num calendário; ou, melhor ainda, aparecerão algumas edições bem-intencionadas, parecidas com os atuais dicionários enciclopédicos, nas quais tudo estará calculado e especificado com tamanha exatidão que, no mundo, não existirão mais ações nem aventuras.

Memórias do subsolo

Então — sois vós que o dizeis ainda — surgirão novas relações econômicas, plenamente acabadas e também calculadas com precisão matemática, de modo que desaparecerá num instante toda espécie de perguntas, precisamente porque haverá para elas toda espécie de respostas. Erguer-se-á então um palácio de cristal.[17] Então... bem, em suma, há de chegar o Reino da Abundância.[18] Naturalmente, não se pode, de modo algum, garantir (desta vez, sou eu que o digo) que então tudo não seja terrivelmente enfadonho (com efeito, que se há de fazer quando tudo estiver calculado numa tabela?), mas, em compensação, tudo será extremamente sensato. É verdade, porém: o que não se há de inventar por fastio! Realmente, os alfinetes de ouro são enfiados em seios também por fastio, mas tudo isso não teria importância. O ruim (ainda sou eu que o digo) é que as pessoas então talvez se sintam felizes com alfinetes de ouro. Pois o homem é estúpido, de uma estupidez fenomenal. Ou, melhor, embora ele não seja de todo néscio, não há nada no mundo que seja tão ingrato. Realmente, eu, por exemplo, não me espantaria nem um pouco se, de repente, em meio a toda a sensatez futura, surgisse algum cavalheiro de fisionomia pouco nobre, ou melhor, retrógrada e zombeteira, e pusesse as mãos na cintura, dizendo a todos nós: pois bem, meus senhores, não será melhor dar um pontapé em toda esta sensatez unicamente a fim de que todos esses logaritmos vão para o diabo, e para que possamos mais uma vez viver de acordo com a nossa estúpida vontade?! Isto ainda não seria nada, mas lamentavelmente ele encontraria sem dúvida alguns

[17] Alusão ao romance de Tchernichévski *Que fazer?* (1863), em que aparece um palácio de ferro e cristal e se descreve um sonho sobre a futura sociedade socialista. Este episódio certamente foi inspirado pelo Palácio de Cristal, erguido no Hyde Park de Londres em 1851 para uma exposição internacional, e sobre a qual Dostoiévski escreveria mais extensamente em *Notas de inverno sobre impressões de verão* (capítulo 5). (N. do T.)

[18] Literalmente: "... há de chegar a ave Kagan", isto é, o pássaro de fogo da tradição tártara. (N. do T.)

adeptos: assim é o homem. E tudo isso devido à mais fútil das causas, à qual, parece, quase nem valeria a pena referir-se: tudo precisamente porque o homem, seja ele quem for, sempre e em toda parte gostou de agir a seu bel-prazer e nunca segundo lhe ordenam a razão e o interesse; pode-se desejar ir contra a própria vantagem e, às vezes, *decididamente se deve* (isto já é uma ideia minha). Uma vontade que seja nossa, livre, um capricho nosso, ainda que dos mais absurdos, nossa própria imaginação, mesmo quando excitada até a loucura — tudo isto constitui aquela vantagem das vantagens que deixei de citar, que não se enquadra em nenhuma classificação, e devido à qual todos os sistemas e teorias se desmancham continuamente, com todos os diabos! E de onde concluíram todos esses sabichões que o homem precisa de não sei que vontade normal, virtuosa? Como foi que imaginaram que ele, obrigatoriamente, precisa de uma vontade sensata, vantajosa? O homem precisa unicamente de uma vontade *independente*, custe o que custar essa independência e leve aonde levar. Bem, o diabo sabe o que é essa vontade...

VIII

— Ha, ha, ha! Mas essa vontade nem sequer existe, se quereis saber! — interrompeis-me com uma gargalhada. — A ciência conseguiu a tal ponto analisar anatomicamente o homem que já sabemos que a vontade e o chamado livre-arbítrio nada mais são do que...

— Um momento, senhores, foi justamente assim que eu mesmo quis começar. Cheguei até a me assustar, confesso. Ainda agora, quis gritar que a vontade depende diabo sabe do quê, e que talvez se deva dar graças a Deus por isto, mas lembrei-me da ciência e... me detive. E nesse instante começastes a falar. E, com efeito, se realmente se encontrar um dia a fórmula de todas as nossas vontades e caprichos, isto é, do que eles dependem, por que leis precisamente acontecem, como se difundem, para onde anseiam dirigir-se neste ou naquele caso etc. etc., uma verdadeira fórmula matemática, então o homem será capaz de deixar de desejar, ou melhor, deixará de fazê-lo, com certeza. Ora, que prazer se pode ter em desejar segundo uma tabela? Mais ainda: no mesmo instante, o homem se transformará num pedal de órgão ou algo semelhante; pois, que é um homem sem desejos, sem vontades nem caprichos, senão um pedal de órgão? Que pensais disso? Calculemos as probabilidades: pode tal coisa acontecer ou não?

— Hum... — retrucais. — As nossas vontades são, na maior parte, equívocos devidos a uma concepção errada sobre as nossas vantagens. Se queremos às vezes um absurdo completo, é porque vemos nesse absurdo, devido à nossa estupidez, o caminho mais fácil para atingir alguma vantagem previamente suposta. Bem, mas quando tudo isto estiver explicado, calculado sobre uma folha de papel (o que é muito possível, porquanto é de fato ignóbil, e não tem sentido admitir de antemão, que o homem não descubra jamais outras leis da natureza), então naturalmente não existirão mais os chamados desejos. De fato, se a vontade se combinar um dia completamente com a razão, passaremos a raciocinar em vez de desejar, justamente porque não podemos, por exemplo, conservando o uso da razã), *querer* algo desprovido de sentido e, deste modo, ir conscientemente contra a razão e desejar aquilo que é nocivo a nós próprios... E visto que todas as vontades e todos os raciocínios podem ser realmente calculados — pois algum dia hão de se descobrir as leis do nosso suposto livre-arbítrio —, então, deixando-se de lado as brincadeiras, será possível elaborar uma espécie de tabela, e nós passaremos realmente a desejar de acordo com esta. Se, por exemplo, efetuados uns cálculos, me demonstrarem que, se eu fiz uma figa[19] a determinada pessoa, foi porque deveria

[19] Na Rússia, o gesto tem sentido ofensivo. (N. do T.)

fazê-lo, irremissivelmente, de tal ou qual modo, então o que sobrará de *livre* em mim, sobretudo se sou um sábio e terminei um curso de ciências em alguma parte? Neste caso, poderei calcular de antemão toda a minha vida, por um prazo de trinta anos; numa palavra, mesmo que isto se arranje, nada mais teremos a fazer; será preciso aceitar tudo, de qualquer modo. E, em geral, devemos repetir a nós mesmos, sem descanso, que, impreterivelmente, em tal momento e em tais circunstâncias, a natureza não nos consulta; que é preciso aceitá-la tal como ela é, e não como nós a imaginamos, e, se realmente ansiamos por uma tabela e um calendário, bem... e mesmo por uma retorta, neste caso — que fazer? — é preciso aceitar também a retorta! Senão, ela vai impor-se prescindindo de nós...

— Sim, mas nisso é que aparece, a meu ver, uma vírgula! Desculpai-me, senhores, por ter-me enredado em filosofias; isto se deu por causa dos meus quarenta anos de subsolo! Permiti-me fantasiar um pouco. Pensai no seguinte: a razão, meus senhores, é coisa boa, não há dúvida, mas razão é só razão e satisfaz apenas a capacidade racional do homem, enquanto o ato de querer constitui a manifestação de toda a vida, isto é, de toda a vida humana, com a razão e com todo o coçar-se. E, embora a nossa vida, nessa manifestação, resulte muitas vezes em algo bem ignóbil, é sempre a vida e não apenas a extração de uma raiz quadrada. Eu, por exemplo, quero viver muito naturalmente, para satisfazer toda a minha capacidade vital, e não apenas a minha capacidade racional, isto é, algo como a vigésima parte da minha capacidade de viver. Que sabe a razão? Somente aquilo que teve tempo de conhecer (algo, provavelmente, nunca chegará a saber; embora isto não constitua consolo, por que não expressá-lo?), enquanto a natureza humana age em sua totalidade, com tudo o que nela existe de consciente e inconsciente, e, embora minta, continua vivendo. Suspeito, senhores, que me olhais com certa compaixão; repetis que é impossível a um homem culto e desenvolvido, numa palavra, a um homem como será o do futuro, querer conscientemente algo desvantajoso para si; isso é matemático. Estou plenamente de acordo; de fato, é matemático. Mas — pela centésima vez vos repito isto — existe um único caso, sim, apenas um, em que o homem pode intencional e conscientemente desejar para si mesmo algo nocivo e estúpido, extremamente estúpido até: *ter o direito* de desejar para si mesmo algo muito estúpido, sem estar comprometido com a obrigação de desejar apenas o que é inteligente. Isto é de fato estupidíssimo, é um capricho, mas realmente, senhores, talvez seja, para a nossa gente, o mais vantajoso de tudo quanto existe sobre a terra, sobretudo em certos casos. E, em particular, talvez seja mais vantajoso que todas as vantagens, mesmo no caso de nos trazer um prejuízo evidente e de contradizer as conclusões mais sensatas da nossa razão, a respeito de vantagens; pois, em todo caso, conserva-nos o principal, o que nos é mais caro, isto é, a nossa personalidade e a nossa individualidade. Alguns afirmam que isto constitui de fato o que há de mais caro para o homem; a vontade pode, naturalmente, se quiser, concordar com a razão, sobretudo se não se abusar desse acordo e se ele for usado moderadamente; isto é útil e, às vezes, até louvável. Mas a vontade, com muita frequência e, na maioria dos casos, de modo absoluto e teimoso, diverge da razão, e... e... sabeis que até isto é útil e às vezes muito louvável? Senhores, admitamos que o homem não seja estúpido. (Realmente não se pode, de modo algum, dizer isso a seu respeito, pois, se for estúpido, quem será inteligente, então?) Mas, ainda que não seja estúpido, é monstruosamente ingrato! É ingrato numa escala fenomenal. Penso até que a melhor definição do homem seja: um bípede ingrato. Mas isto ainda não é tudo, ainda não é tudo, ainda não é o seu maior defeito; o seu maior defeito é a sua permanente imoralidade, sim, permanente, desde o Dilúvio Universal até o período schleswig-holsteiniano dos destinos humanos. A imoralidade e, por conseguinte, também a falta de bom senso, pois há muito tempo se sabe que esta provém unicamente da imoralidade. Experimentai lançar um olhar para a história do gênero humano: o que vereis? É grandioso? Vá lá! É, de fato, grandioso. O que não valerá, por exemplo, O Colosso de Rodes! Não é em vão que o sr. Anaiévski[20] atesta a seu respeito que, segundo uns, seria obra humana, e, segundo outros, da própria natureza. É pitoresco? Vá lá, é pitoresco de fato. Basta examinar, em todos os séculos e em relação a todos os povos, os uniformes de gala usados por militares e civis: o que não valerá tudo isso? E o mesmo acontece com os uniformes de serviço; nenhum historiador resistirá à tentação de descrevê-los. É monótono? Vá lá, de fato é monótono: luta-se e luta-se. Luta-se atualmente, já se lutou outrora e tornar-se-á a lutar ainda mais. Concordai comigo: é até demasiado monótono. Numa palavra, pode-se dizer tudo da história universal — tudo quanto possa ocorrer à imaginação mais exaltada. Só não se pode dizer o seguinte: que é sensata. Haveis de engasgar na primeira palavra. E aí está até o que a todo momento se dá: surgem continuamente homens de bons costumes, sensatos, sábios e amantes da espécie humana, que têm justamente como objetivo portar-se, a vida toda, do modo mais moral e sensato, iluminar, por assim dizer, com a sua pessoa, o caminho para o próximo, e precisamente para demonstrar a este que, de fato, se pode viver de modo moral e sensato. E então? É sabido que muitos desses amantes da humanidade, cedo ou tarde, às vezes no fim da existência, traíram-se, dando motivo a anedotas às vezes do gênero mais indecente até. Pergunto-vos agora: o que se pode esperar do homem, como criatura provida de tão estranhas qualidades? Podeis cobri-lo de todos os bens terrestres, afogá-lo em felicidade, de tal modo que apenas umas bolhazinhas apareçam na superfície desta, como se fosse a superfície da água; dar-lhe tal fartura, do ponto de vista econômico, que

[20] A. E. Anaiévski (1788-1886), romancista cujos livros foram alvo de constantes gracejos nos jornais da época. (N. do T.)

Memórias do subsolo

ele não tenha mais nada a fazer a não ser dormir, comer pão de ló e cuidar da continuação da história universal — pois mesmo neste caso o homem, unicamente por ingratidão e pasquinada, há de cometer alguma ignomínia. Vai arriscar até o pão de ló e desejar, intencionalmente, o absurdo mais destrutivo, o mais antieconômico, apenas para acrescentar a toda esta sensatez positiva o seu elemento fantástico e destrutivo. Desejará conservar justamente os seus sonhos fantásticos, a sua mais vulgar estupidez, só para confirmar a si mesmo (como se isto fosse absolutamente indispensável) que os homens são sempre homens e não teclas de piano, que as próprias leis da natureza tocam e ameaçam tocar de tal modo que atinjam um ponto em que não se possa desejar nada fora do calendário. Mais ainda: mesmo que ele realmente mostrasse ser uma tecla de piano, mesmo que isto lhe fosse demonstrado, por meio das ciências naturais e da matemática, ainda assim ele não se tornaria razoável e cometeria intencionalmente alguma inconveniência, apenas por ingratidão e justamente para insistir na sua posição. E, no caso de não ter meios para tanto, inventaria a destruição e o caos, inventaria diferentes sofrimentos e, apesar de tudo, insistiria no que é seu! Lançaria a maldição pelo mundo e, visto que somente o homem pode amaldiçoar (é um privilégio seu, a principal das qualidades que o distinguem dos outros animais), provavelmente com a mera maldição alcançaria o que lhe cabe: continuaria convicto de ser um homem e não uma tecla de piano! Se me disserdes que tudo isso também se pode calcular numa tabela, o caos, a treva, a maldição — de modo que a simples possibilidade de um cálculo prévio vai tudo deter, prevalecendo a razão —, vou responder-vos que o homem se tornará louco intencionalmente, para não ter razão e insistir no que é seu! Creio nisto, respondo por isto, pois, segundo parece, toda a obra humana realmente consiste apenas em que o homem, a cada momento, demonstre a si mesmo que é um homem e não uma tecla! Ainda que seja com os próprios costados, mas que o demonstre; ainda que seja como um troglodita, mas que demonstre. E, depois disso, como não pecar, como não louvar o fato de que isto ainda não exista e que a vontade ainda dependa o diabo sabe de quê...

Gritais (se ainda vos dignais a dirigir-me o grito) que, no caso, ninguém me priva da minha vontade; que todos se afanam a fim de que, por si mesma, por própria iniciativa, minha vontade coincida com os meus interesses normais, com as leis da natureza e com a aritmética.

— Eh, senhores, como é que se pode ter, no caso, sua própria vontade, quando se trata da tabela e da aritmética, quando está em movimento apenas o dois e dois são quatro? Dois e dois são quatro mesmo sem a minha vontade. Acontece porventura uma vontade própria deste tipo?!

IX

Naturalmente, estou gracejando, senhores, e eu mesmo sei que o faço de modo inábil, mas não se pode também tomar tudo por um gracejo. É possível que eu graceje rangendo os dentes. Senhores, os problemas me atormentam; resolvei-os para mim. Quereis, por exemplo, desacostumar uma pessoa dos seus velhos hábitos e corrigir-lhe a vontade, de acordo com as exigências da ciência e do bom senso. Mas como sabeis que o homem não apenas pode, mas *deve* ser assim transformado? De onde concluís que à vontade humana é tão indispensavelmente *necessário* corrigir-se? Numa palavra, como sabeis que uma tal correção realmente trará vantagem ao homem? E, se é para dizer tudo, por que estais tão *certamente* convictos de que não ir contra as vantagens reais, normais, asseguradas pelas conclusões da razão e pela aritmética, é de fato sempre vantajoso para o homem e constitui uma lei para toda a humanidade? Mas, por enquanto, isso é apenas uma suposição vossa. Admitamos que seja uma

Memórias do subsolo

lei lógica, mas talvez não o seja, de modo algum, da humanidade. Talvez penseis, senhores, que estou louco? Permiti-me emendar o que disse. Concordo: o homem é um animal criador por excelência, condenado a tender conscientemente para um objetivo e a ocupar-se da arte da engenharia, isto é, abrir para si mesmo um caminho, eterna e incessantemente, *para onde quer que seja*. Mas talvez precisamente por isto lhe venha às vezes uma vontade de se desviar, justamente por estar *condenado* a abrir esse caminho, e talvez ainda porque, por mais estúpido que seja um homem direto e de ação, ocorre-lhe às vezes que o caminho vai quase sempre *para alguma parte*, e que o principal não está em saber para onde se dirige, mas simplesmente em que se dirija, e em que a criança comportada, desprezando a arte da engenharia, não se entregue à ociosidade destruidora, que, como se sabe, é mãe de todos os vícios. O homem gosta de criar e de abrir estradas, isto é indiscutível. Mas por que ama também, até a paixão, a destruição e o caos? Dizei-me! Mas eu mesmo quero dizer separadamente duas palavras sobre o assunto. Não amará ele a tal ponto a destruição e o caos (é indiscutível que ele às vezes os ama e muito, não há dúvida sobre isto) porque teme instintivamente atingir o objetivo e concluir o edifício em construção? Como podeis sabê-lo? Talvez ele ame o edifício apenas a distância e nunca de perto; talvez ele goste apenas de criá-lo, e não viver nele, deixando-o depois para os *animaux domestiques*, isto é, formigas, carneiros etc. etc. Já as formigas têm um gosto de todo diferente. Elas possuem um edifício surpreendente no gênero, indestrutível para os séculos: o formigueiro.

As dignas formigas começaram pelo formigueiro e certamente acabarão por ele, o que confere grande honra à sua constância e caráter positivo. Mas o homem é uma criatura volúvel e pouco atraente e, talvez, a exemplo do enxadrista, ame apenas o processo de atingir o objetivo, e não o próprio objetivo. E — quem sabe? —, não se pode garantir, mas talvez todo o objetivo sobre a terra, aquele para o qual tende a humanidade, consista unicamente nesta continuidade do processo de atingir o objetivo, ou, em outras palavras, na própria vida e não exatamente no objetivo, o qual, naturalmente, não deve ser outra coisa senão que dois e dois são quatro, isto é, uma fórmula; mas, na realidade, dois e dois não são mais a vida, meus senhores, mas o começo da morte. Pelo menos, o homem sempre temeu de certo modo este dois e dois são quatro, e eu o temo até agora. Suponhamos que o homem não faça outra coisa senão procurar este dois e dois são quatro: ele atravessa os oceanos a nado, sacrifica a vida nesta busca, mas, quanto a encontrá-lo realmente... juro por Deus, tem medo. Bem que ele sente: uma vez encontrado isto, não haverá mais o que procurar. Operários que terminam uma tarefa com certeza recebem dinheiro e vão a um botequim, acabando no distrito policial — bem, aí estão ocupações para uma semana. Mas o homem para onde irá? Percebe-se nele constantemente algo de inábil toda vez que atinge tais objetivos. Ele ama o ato de alcançar, mas, alcançar de fato, nem sempre. E isto, está claro, é ridículo ao extremo. Numa palavra, o homem está arranjado de modo cômico; em tudo isto, provavelmente, há um trocadilho. Mas dois e dois são quatro é, apesar de tudo, algo totalmente insuportável. Dois e dois são quatro constitui, a meu ver, simplesmente uma impertinência. Dois e dois fica feito um peralvilho, atravessado no vosso caminho, as mãos nas cadeiras, cuspindo. Estou de acordo em que dois e dois são uma coisa admirável; mas, se é para elogiar tudo, então dois e dois são cinco também constitui, às vezes, uma coisinha muito simpática.

E por que estais convencidos tão firme e solenemente de que é vantajoso para o homem apenas o que é normal e positivo, numa palavra, unicamente a prosperidade? Não se enganará a razão quanto às vantagens? Talvez o homem não ame apenas a prosperidade? Talvez ele ame, na mesma proporção, o sofrimento? Talvez o sofrimento lhe seja exatamente tão vantajoso como a prosperidade? O homem, às vezes, ama terrivelmente o sofrimento, ama-o até a paixão, isto é um fato. No caso, é inútil recorrer à história universal; interrogai a vós mesmos, se sois homens e vivestes um pouco sequer. E, quanto à minha opinião pessoal, creio que amar apenas a prosperidade é, de certo modo, até indecente. Bem ou mal, quebrar às vezes algo é também muito agradável. No caso, não estou propriamente defendendo o sofrimento e tampouco a prosperidade. Defendo... o meu capricho e que ele me seja assegurado, quando necessário. O sofrimento, por exemplo, não é admitido nos *vaudevilles*, eu sei. No palácio de cristal, ele é simplesmente inconcebível: o sofrimento é dúvida, é negação, e o que vale um palácio de cristal do qual se possa duvidar? E, no entanto, estou certo de que o homem nunca se recusará ao sofrimento autêntico, isto é, à destruição e ao caos. O sofrimento... mas isto constitui a causa única da consciência. Embora tenha afirmado, no início, que a consciência, a meu ver, é a maior infelicidade para o homem, sei que ele a ama e não a trocará por nenhuma outra satisfação. A consciência, por exemplo, está infinitamente acima do dois e dois. Depois do dois e dois, certamente, nada mais restará, não só para fazer, mas também para conhecer. Tudo o que será possível, então, será unicamente calar os cinco sentidos e imergir na contemplação. Bem, com a consciência obtém-se o mesmo resultado, isto é, também não haverá nada a fazer; mas pelo menos poderemos espancar a nós mesmos, de vez em quando, e isto, apesar de tudo, infunde ânimo. Ainda que seja retrógrado, é sempre melhor que nada.

X

Acreditais no palácio de cristal, indestrutível através dos séculos, isto é, um edifício tal que não se lhe poderá mostrar a língua, às escondidas, nem fazer figa dentro do bolso. Bem, mas talvez eu tema este edifício justamente porque é de cristal e indestrutível através dos séculos e por não se poder mostrar-lhe a língua, nem mesmo às ocultas.

Pensai no seguinte: se, em lugar do palácio, existir um galinheiro, e se começar a chover, talvez eu trepe no galinheiro, a fim de não me molhar; mas, assim mesmo, não tomarei o galinheiro por um palácio, por gratidão, pelo fato de me ter protegido da chuva. Estais rindo, dizeis até que, neste caso, galinheiro e palácio são a mesma coisa. Sim, respondo, se fosse preciso viver unicamente para não me molhar.

Mas que fazer, se eu próprio meti na cabeça que não é apenas para isto que se vive e que, se se trata de viver, deve-se fazê-lo num palácio? É a minha vontade, o meu desejo. Somente o podereis desarraigar de dentro de mim quando transformardes os meus desejos. Bem, modificai-os, seduzi-me com algo diverso, dai-me outro ideal. Mas, por enquanto, não tomarei o galinheiro por um palácio. Suponhamos que o edifício de cristal seja uma invencionice e que, pelas leis da natureza, não se admita a sua existência, que eu o tenha inventado unicamente em virtude da minha própria estupidez e de alguns hábitos antigos, irracionais, da nossa geração. Mas que tenho eu com o fato de que não se admita a sua existência? Não dá no mesmo, se ele existe nos meus desejos ou, melhor dizendo, se existe enquanto existem os meus desejos? Estais rindo de novo, talvez. Podeis rir, aceitarei todas as zombarias. Apesar de tudo, não direi estar saciado quando tenho fome; apesar de tudo, sei que não me satisfarei com uma solução de compromisso com um zero periódico, incessante, apenas porque ele existe segundo as leis da natureza, e porque existe *realmente*. Não considerarei como o coroamento dos meus desejos um prédio de aluguel com apartamentos para inquilinos pobres e contratos por um prazo de mil anos e, por via das dúvidas, com uma placa do dentista Wahenheim. Destruí os meus desejos, apagai os meus ideais, mostrai-me algo melhor, e hei de vos seguir. Direis talvez que não vale a pena

Memórias do subsolo

mesmo ocupar-se disso; mas, neste caso, posso responder-vos de modo idêntico. Estamos argumentando a sério; mas, se não vos quiserdes dignar a dirigir-me a vossa atenção, não serei o primeiro a inclinar a cabeça. Tenho o meu subsolo.

Por enquanto, ainda vivo, ainda sinto desejos e quero que os meus braços sequem se eu carregar um tijolinho, o que seja, para uma casa de renda desse tipo! Não ligueis ao fato de que, ainda há pouco, eu mesmo tenha recusado o edifício de cristal unicamente porque não se poderá zombar dele mostrando-lhe a língua. Eu não disse isto porque goste tanto de mostrar a minha língua. É possível que me zangasse unicamente porque, dentre todos os vossos edifícios, não houvesse um só ao qual não se poderia deixar de mostrá-la. Pelo contrário, eu deixaria, simplesmente por gratidão, que ela me fosse cortada de vez, se tudo se arranjasse de modo que eu mesmo nunca mais tivesse vontade de mostrá-la. Que tenho eu com o fato de que isso é impossível de conseguir, e de que seja preciso contentar-se com os apartamentos? Porque fui feito com tais desejos? Será possível que tenha sido unicamente para concluir que toda a minha conformação é puro logro? Será possível que consista nisso todo o objetivo? Não acredito.

E, aliás, quereis saber uma coisa? Estou certo de que a nossa gente de subsolo deve ser mantida à rédea curta. Uma pessoa assim é capaz de ficar sentada em silêncio durante quarenta anos, mas, quando abre uma passagem e sai para a luz, fica falando, falando, falando...

XI

O fim dos fins, meus senhores: o melhor é não fazer nada! O melhor é a inércia consciente! Pois bem, viva o subsolo! Embora eu tenha dito realmente que invejo o homem normal até a derradeira gota da minha bílis, não quero ser ele, nas condições em que o vejo (embora não cesse de invejá-lo. Não,

não, em todo caso, o subsolo é mais vantajoso!) Ali, pelo menos, se pode... Eh! mas estou mentindo agora também. Minto porque eu mesmo sei, como dois e dois, que o melhor não é o subsolo, mas algo diverso, absolutamente diverso, pelo qual anseio, mas que de modo nenhum hei de encontrar! Ao diabo o subsolo!

Eis o que seria melhor mesmo: que eu próprio acreditasse, um pouco que fosse, no que acabo de escrever. Juro-vos, meus senhores, que não creio numa só palavrinha de tudo quanto rabisquei aqui! Isto é, talvez eu creia, mas, ao mesmo tempo, sem saber por quê, sinto e suspeito estar mentindo como um desalmado.[21]

— Mas para que foi então que escreveu tudo isto? — dizeis-me.

— E o que aconteceria se eu vos deixasse por uns quarenta anos sem qualquer ocupação e, passado esse tempo, fosse à vossa casa, ao subsolo, para me informar a que ponto chegastes? Pode-se acaso deixar um homem durante quarenta anos sozinho, sem uma tarefa?

— Mas não é uma vergonha, não é uma humilhação?! — talvez me digais, balançando com desdém a cabeça. — Está ansiando pela vida, mas resolve os problemas da existência com um emaranhado lógico. E como são importunas, como são insolentes as suas saídas, e, ao mesmo tempo, como o senhor tem medo! Afirma absurdos e se satisfaz com eles; diz insolências, mas sempre se assusta com elas e pede desculpas. Assegura não temer nada e, ao mesmo tempo, busca o nosso aplauso. Garante estar rangendo os dentes e, simultaneamente, graceja, para nos fazer rir. Sabe que os seus gracejos não têm espírito, mas, ao que parece, está muito satisfeito com a sua qualidade literária. É possível que tenha sofrido realmente; todavia, não respeita um pouco sequer o seu próprio sofri-

---

[21] No original, literalmente: "como um sapateiro". (N. do T.)

mento. No senhor há verdade, mas não há pureza; por motivo da mais mesquinha vaidade, traz a sua verdade à mostra, conduzindo-a para a ignomínia, para a feira... Realmente, quer dizer algo, no entanto, por temor, oculta a sua palavra derradeira, porque não tem suficiente decisão para dizê-la, mas apenas uma assustada impertinência. Vangloria-se da sua consciência, mas, na realidade, apenas vacila, pois, embora o seu cérebro funcione, o seu coração está obscurecido pela perversão, e, sem um coração puro, não pode haver consciência plena, correta. E que capacidade de importunar, que insistência, como careteia! Mentira, mentira, mentira!

Está claro que eu mesmo inventei agora todas estas vossas palavras. Isto provém igualmente do subsolo. Passei ali quarenta anos seguidos, ouvindo por uma pequena fresta estas vossas palavras. Inventei-as eu mesmo, pois não podia inventar outra coisa. Não é para estranhar que se tenham gravado de cor e tomado forma literária...

Mas é possível, é possível que sejais crédulos a ponto de imaginar que eu vá publicar e ainda vos dar a ler tudo isto? E eis mais um problema para mim: para que, realmente, vos chamo de "senhores", para que me dirijo a vós como leitores de verdade? Confissões como as que pretendo começar a expor não se imprimem e não se dão a ler. Pelo menos, não possuo em mim tamanha firmeza e não considero necessário possuí-la. Mas sabeis de uma coisa? Veio-me à mente uma fantasia, e a todo custo quero realizá-la. Eis do que se trata.

Existem nas recordações de todo homem coisas que ele só revela aos seus amigos. Há outras que não revela mesmo aos amigos, mas apenas a si próprio, e assim mesmo em segredo. Mas também há, finalmente, coisas que o homem tem medo de desvendar até a si próprio, e, em cada homem honesto, acumula-se um número bastante considerável de coisas no gênero. E acontece até o seguinte: quanto mais honesto é o homem, mais coisas assim ele possui. Pelo menos, eu mesmo só recentemente me decidi a lembrar as minhas aventuras passadas, e, até hoje, sempre as contornei com alguma inquietação. Mas agora, que não apenas lembro, mas até mesmo resolvi anotar, agora quero justamente verificar: é possível ser absolutamente franco, pelo menos consigo mesmo, e não temer a verdade integral? Observarei a propósito: Heine afirma que uma autobiografia exata é quase impossível, e que uma pessoa falando de si mesma certamente há de mentir. Na sua opinião, Rousseau, por exemplo, com toda certeza, mentiu a respeito de si mesmo, na sua confissão, e fê-lo até intencionalmente, por vaidade. Estou certo de que Heine tem razão; compreendo muito bem que se possa às vezes, apenas por vaidade, até urdir crimes a respeito de si mesmo, e percebo muito bem de que tipo essa vaidade pode ser. Mas Heine estava emitindo juízo sobre um homem que fazia sua confissão em público, e eu escrevo unicamente para mim, e declaro de uma vez por todas que, embora escreva como se me dirigisse a leitores, faço-o apenas por exibição, pois assim me é mais fácil escrever. Trata-se de forma, unicamente de forma vazia, e eu nunca hei de ter leitores. Já declarei isto uma vez...

Não quero constranger-me a nada na redação das minhas memórias. Não instaurei nelas uma ordem nem um sistema. Anotarei tudo o que me vier à lembrança.

Bem, por exemplo, alguém poderia implicar com essas palavras e me perguntar: se de fato não conta com leitores, para que faz tais contratos consigo mesmo, e ainda por escrito, no sentido de que não instaurará uma ordem ou um sistema, que há de anotar tudo o que lhe vier à memória etc. etc.? Para que está dando explicações? Para que se desculpa?

Já vou responder.

Há toda uma psicologia nisso. Talvez mesmo o fato de que eu seja simplesmente um medroso. E talvez também imagine, de propósito, diante de mim um público para que me comporte de modo mais decente, quando estiver escrevendo. Pode haver mil razões até.

Fica ainda uma pergunta: para que, em suma, quero eu escrever? Se não é para um público, não se poderia recordar tudo mentalmente, sem lançar mão do papel?

Assim é; mas, por escrito, isto sairá, de certo modo, solene. O papel tem algo que intimida, haverá mais severidade comigo mesmo, o estilo há de lucrar. Além disso, é possível que as anotações me tragam realmente um alívio. Agora, por exemplo, pressiona-me particularmente uma remota recordação. Lembrei-me disso com nitidez há poucos dias e, desde então, ela ficou comigo, qual um motivo musical magoado, que não nos quer deixar. E, assim mesmo, é preciso livrar-se dele. Tenho centenas de tais recordações; mas, de tempos em tempos, uma delas destaca-se das demais e passa a pressionar-me. Não sei *por quê*, mas acredito que, se eu a anotar, há de me deixar em paz. E por que não tentar?

Finalmente: estou enfadado e, no entanto, permaneço sem fazer nada. E o ato de anotar é de fato como que um trabalho. Dizem que o trabalho torna o homem bom e honesto. Bem, aí está pelo menos uma probabilidade favorável.

Agora está nevando, uma neve quase molhada, amarela, turva. Ontem nevou igualmente e dias atrás, também. Tenho a impressão de que foi justamente a propósito da neve molhada que lembrei esse episódio que não quer agora me deixar em paz. Pois bem, aí vai uma novela. Sobre a neve molhada.

2.
A PROPÓSITO DA NEVE MOLHADA

> *Quando da treva dos enganos*
> *Meu verbo cálido e amigo*
> *Ergueu a tua alma caída,*
> *E, plena de profunda mágoa,*
> *Amaldiçoaste, de mãos juntas,*
> *O vício que te envolvera;*
> *Quando açoitaste com a lembrança*
> *A consciência que olvida,*
> *E me fizeste o relato*
> *De tudo o que houve antes de mim,*
> *E, de repente, o rosto oculto,*
> *Repleta de vergonha e horror,*
> *Tudo desabafaste: um pranto*
> *De indignação, de comoção...*

(de um poema de N. A. Nekrássov)[22]

I

Naquele tempo, eu tinha apenas vinte e quatro anos. Minha vida já era, mesmo então, desordenada e sombria até a selvageria. Não me dava com ninguém, evitava até conversar, e cada vez mais me encolhia em meu canto. No emprego, na repartição, forçava-me a não olhar para ninguém; mas

---

[22] Este poema de Nikolai Nekrássov (1821-1878) era muito popular nos meios democráticos da época. (N. do T.)

Memórias do subsolo

notei muito bem que os meus colegas não só me consideravam um tipo original, como até — tinha esta impressão continuamente — pareciam olhar-me com certa aversão. Vinha-me à mente: por que ninguém, além de mim, sente ser olhado com aversão? Um dos meus colegas tinha um rosto repulsivo ao extremo, todo picado de varíola, com certa expressão de bandido até. Eu, segundo creio, não ousaria sequer olhar para alguém se meu rosto fosse tão indecente. Um outro tinha o uniforme[23] a tal ponto usado que perto dele já se sentia mau cheiro. No entanto, nenhum desses senhores ficava confuso, quer por causa do traje, quer do rosto, ou por algum escrúpulo moral. Um e outro não imaginavam sequer serem olhados com asco; e, mesmo que imaginassem, pouco se incomodariam, contanto que os chefes não se lembrassem de os olhar. Atualmente percebo, com toda a nitidez, que eu mesmo, em virtude da minha ilimitada vaidade e, por conseguinte, da exigência em relação a mim mesmo, olhava-me com muita frequência, com enfurecida insatisfação que chegava à repugnância e, por isso, atribuía mentalmente a cada um o meu próprio olhar. Detestava, por exemplo, o meu rosto, considerava-o abominável, e supunha até haver nele certa expressão vil; por isso, cada vez que ia à repartição, torturava-me, procurando manter-me do modo mais independente possível, para que não suspeitassem em mim a ignomínia e para expressar no semblante o máximo de nobreza. "Pode ser um rosto feio", pensava eu, "mas, em compensação, que seja nobre, expressivo e, sobretudo, inteligente *ao extremo*". No entanto, com certeza e amargamente, eu sabia que nunca poderia expressar no rosto essas perfeições. Mas o mais terrível era que, decididamente, eu o achava estúpido. Eu me contentaria plenamente com a inteligência. A tal ponto que me conformaria

---

[23] Os funcionários russos da época eram obrigados ao uso do uniforme. (N. do T.)

até com uma expressão vil, desde que o meu rosto fosse considerado, ao mesmo tempo, muito inteligente.

Está claro que odiava todos os funcionários da nossa repartição, do primeiro ao último, e desprezava-os a todos, mas, simultaneamente, como que os temia. Acontecia-me até colocá-los acima de mim. Sucedia o seguinte: ora desprezava alguém, ora colocava-o acima de mim. Um homem decente e cultivado não pode ser vaidoso sem uma ilimitada exigência em relação a si mesmo e sem se desprezar, em certos momentos, até o ódio. Mas, quer desprezando, quer colocando as pessoas acima de mim, eu baixava os olhos diante de quase todos que encontrava. Fiz até algumas experiências: tolerarei sobre mim o olhar deste aqui, por exemplo? E era sempre o primeiro a baixar os olhos. Isto me torturava até o enfurecimento. Temia, também, a ponto de adoecer, tornar-me ridículo, e, por isto, adorava como um escravo a rotina em tudo o que se relacionava com coisas exteriores; entregava-me amorosamente à vida cotidiana e comum e do fundo da alma assustava-me ao notar em mim alguma excentricidade. E como poderia deixar de ser assim? Eu era doentiamente cultivado, como deve ser um homem de nossa época. Eles, pelo contrário, eram todos embotados e parecidos entre si, como carneiros de um rebanho. É possível que eu fosse o único em toda a repartição a ter continuamente a impressão de ser um covarde e um escravo, e talvez tivesse esta impressão justamente porque era cultivado. Mas não se tratava apenas de impressão; isto se dava na realidade: eu era um covarde e um escravo. Digo-o sem qualquer acanhamento. Todo homem decente de nossa época é e deve ser covarde e escravo. É a sua condição normal. Estou profundamente convicto disso. Ele assim foi feito e para tal fim ajustado. E não só na época atual, em consequência de algumas circunstâncias fortuitas, mas, de modo geral, em todos os tempos, o homem decente deve ser covarde e escravo. É a lei da natureza para todos os homens decentes sobre a terra. Mesmo que suceda a algum deles mos-

Memórias do subsolo

57

trar-se corajoso frente a algo, mesmo que não se console nem se apaixone com isto, de qualquer modo, há de se acovardar diante de outras coisas. Tal é a saída única e sempiterna. Mostram-se corajosos unicamente os asnos e seus abortos, mas também estes apenas até determinado obstáculo. Não vale a pena sequer prestar-lhes atenção, porque não representam absolutamente nada.

Torturava-me então mais uma circunstância: o fato de que ninguém se parecesse comigo e eu não fosse parecido com ninguém. "Eu sou sozinho, e eles são *todos*", dizia de mim para mim, e ficava pensativo.

Isso mostra que eu ainda era completamente garoto.

Acontecia também o contrário. Às vezes, era muito penoso ir à repartição: isto chegou a tal extremo que, muitas vezes, voltei doente para casa. Mas, de súbito, sem mais nem menos, vinha uma fase de ceticismo e indiferença (tudo me acontecia por fases) e eu mesmo passava a rir da minha intolerância e das minhas repugnâncias, censurava o meu próprio *romantismo*. Ora não queria falar com ninguém, ora não só iniciava uma conversa, mas tentava até tornar-me amigo deles. Toda a repugnância desaparecia num repente. Quem sabe? Talvez ela nunca existisse em mim, e fosse exterior, absorvida dos livros? Até agora ainda não resolvi este problema. De certa feita, fiquei amigo deles de vez, passei a visitá-los, a jogar preferência, tomar vodca, falar de indústria... Mas, neste ponto, permiti-me uma digressão.

Nós, os russos, falando de modo geral, nunca tivemos os estúpidos românticos supraestelares alemães e sobretudo franceses, sobre os quais nada atua, mesmo que a terra se fenda a seus pés, mesmo que a França toda pereça nas barricadas: permanecem os mesmos, não se alteram nem sequer por uma questão de decência, e não cessam de entoar suas canções supraestelares, no sepulcro da sua vida, por assim dizer, porque são imbecis. E na terra russa não existem imbecis, isto é notório; é nisso que nos distinguimos de todas as demais terras alemãs.[24] Consequentemente, não existem em nosso meio criaturas supraestelares, em sua condição pura. Foram os nossos publicistas e críticos "positivos" de então que, ocupados em caçar os Kostanjoglos e os tios Piotr Ivânovitch,[25] e tendo-os tomado, por tolice, pelo nosso ideal, apresentaram invencionices sobre os nossos românticos, considerando-os tão supraestelares como os da Alemanha ou de França. Ao contrário, as características do nosso romântico são absoluta e diretamente opostas às do europeu supraestelar, e nenhuma medidazinha europeia é adequada no caso. (Permitam-me usar esta palavra: "romântico", é uma palavrinha antiga, respeitável, com algum merecimento, e de todos conhecida.) As características do nosso romântico são: *tudo compreender, tudo ver e vê-lo muitas vezes, de modo incomparavelmente mais nítido do que o fazem todas as nossas inteligências mais positivas*; não se conformar com nada e com ninguém, mas, ao mesmo tempo, não desdenhar nada; tudo contornar, ceder a tudo, agir com todos diplomaticamente; nunca perder de vista o objetivo útil, prático (não sei que apartamentinhos governamentais, pensõezinhas, comendazinhas), e olhar este objetivo através de todos os entusiasmos e volumezinhos de versinhos líricos e, ao mesmo tempo, conservar dentro de si, indestrutível, como num sepulcro, o "belo e sublime", e também conservar a si mesmo, integralmente, em algodão, como um pequeno objeto de ourivesaria, ainda que seja, por exemplo, em proveito daquele mesmo "belo e sublime". O nosso romântico é um homem de natureza larga e um grande maroto, o maior dos nossos marotos, eu vos asseguro isto... até por experiência própria. Isso no caso de

[24] Em linguagem popular, dizia-se "alemão" tudo o que procedia do Ocidente. (N. do T.)

[25] Kostanjoglo é personagem da segunda parte de *Almas mortas* de Gógol; e Piotr Ivânovitch, de *Uma história comum* de Gontcharóv. (N. do T.)

um romântico inteligente. Mas, que digo? o romântico é sempre inteligente; eu quis apenas observar que, embora tenha havido em nosso meio realmente românticos imbecis, não devem eles ser levados em conta, pois surgiram unicamente porque, ainda em pleno desabrochar das suas forças, transformaram-se de vez em alemães e, para conservar mais comodamente o seu objetozinho de ourivesaria, passaram a morar alhures, longe, sobretudo em Weimar ou na Floresta Negra. Eu, por exemplo, desprezava sinceramente a minha atuação como funcionário público e, se não cuspia em tudo, era apenas por necessidade, porque eu mesmo estava ali instalado e recebia por isso um salário. Em virtude deste fato, observem, eu não cuspia, apesar de tudo. O nosso romântico perderá mais facilmente o juízo (o que sucede bem poucas vezes), mas não irá cuspir se não tiver outra carreira em vista; nunca o expulsarão aos trambolhões e, no máximo, vão levá-lo para um manicômio, na qualidade de "rei da Espanha"[26] e assim mesmo apenas no caso em que perca muito acentuadamente o juízo. Mas, na realidade, em nosso meio, perdem o juízo apenas os franzinos e os de cabelo muito claro. Inúmeros românticos, porém, passam a ocupar postos bem altos. Que extraordinária versatilidade! E que capacidade para as sensações mais contraditórias! Mesmo então eu me consolava com isto, e atualmente penso de modo idêntico. Por este motivo é que temos tantos "espíritos largos", que, mesmo na queda derradeira, não perdem o seu ideal; e embora não movam um dedo em prol deste ideal, e sejam reconhecidos ladrões e bandidos, assim mesmo respeitam até as lágrimas o seu ideal primeiro e são, de alma, extraordinariamente honestos. Sim, somente em nosso meio o mais reconhecido patife pode ser totalmente, e até de modo elevado, honesto de espírito, sem, ao mesmo tempo, deixar de ser um patife, um pouco

[26] Alusão ao personagem Poprischin de *Diário de um louco*, de Gógol. (N. do T.)

que seja. Repito: de fato, os nossos românticos, a três por dois, transformam-se, por vezes, em tais malandros nos negócios (emprego com amor a palavra "malandros"), revelam de súbito tamanho senso da realidade e tamanho conhecimento do que é positivo que as autoridades e o público, surpresos, não fazem mais que, perplexos, estalar a língua em sua direção.[27]

A multiplicidade é de fato surpreendente, e Deus sabe em que se há de transformar e o que ela nos promete para o nosso futuro. Mas até não é mau este material! Não digo isto por qualquer patriotismo ridículo e melífluo. Aliás, mais uma vez pensais — tenho certeza — que estou gracejando. Ou — quem sabe? — talvez seja exatamente o contrário, isto é, talvez estejais certos de que eu realmente pense assim. Em todo caso, meus senhores, considerarei que ambas as vossas opiniões são uma honra para mim e me dão um prazer especial. E desculpai-me a digressão.

Está claro que não conseguia manter as relações de amizade com os meus colegas: às vezes, separava-me deles cuspindo e, em virtude da inexperiência juvenil, deixava até de os cumprimentar, como que rompendo com eles. É verdade que isto me aconteceu apenas uma vez, pois eu estava sempre só.

Em casa, o que mais fazia era ler. Tinha vontade de abafar com impressões exteriores tudo o que fervilhava incessantemente. E, quanto a impressões exteriores, só me era possível recorrer à leitura. Naturalmente, ela me ajudava muito: perturbava-me, deliciava-me, torturava. Mas, por vezes, tornava-se terrivelmente enfadonha. Apesar de tudo, tinha vontade de me movimentar, e me afundava de súbito numa escura, subterrânea e repelente... não digo devassidão, mas devassidãozinha. Tinha paixõezinhas agudas, ardentes, em virtu-

---

[27] Trata-se de uma alusão muito clara a Nekrássov. Após a morte do poeta, Dostoiévski ainda escreveria sobre este dualismo da sua personalidade, no *Diário de um escritor* (dezembro de 1877). (N. do T.)

de de minha contínua e doentia irritabilidade. Vinham-me impulsos histéricos, com lágrimas e convulsões. Além da leitura, não tinha para onde me voltar, isto é, não havia nada no meu ambiente que eu pudesse respeitar e que me atraísse. Além de tudo, a angústia fervilhava dentro de mim; surgia-me um anseio histérico de contradições, de contrastes, e eu me lançava então na libertinagem. Não foi propriamente para me justificar que, ainda há pouco, eu disse tudo isso... Aliás, não! Estou mentindo! Eu quis, precisamente, justificar-me. Faço agora, meus senhores, uma anotaçãozinha para mim mesmo. Não quero mentir. Empenhei a palavra.

Praticava a libertinagem solitariamente, de noite, às ocultas, de modo assustado, sujo, imbuído da vergonha que não me deixava nos momentos mais asquerosos e que até chegava, nesses momentos, à maldição. Mesmo assim, eu já trazia na alma o subsolo. Tinha um medo terrível de ser visto, encontrado, reconhecido. Pois frequentava toda a sorte de lugares bem suspeitos.

Certa vez, passando à noite junto a uma pequena taverna, vi, por uma janela iluminada, que uns cavalheiros começaram a lutar com tacos de bilhar e que um deles foi posto janela afora. Noutra ocasião, minha sensação teria sido de repugnância; mas, naquele momento, cheguei a invejar o cavalheiro atirado pela janela, e invejei-o a tal ponto que até entrei na taverna e fui para a sala de bilhar, como se quisesse dizer: "Quem sabe? Talvez eu brigue também e seja igualmente posto janela afora".

Não estava bêbado, mas quereis o quê? A angústia pode levar-nos a semelhante histeria! Mas nada resultou daquilo. Ficou constatado que eu não era capaz sequer de pular pela janela, e fui embora sem ter brigado.

Logo de início, um oficial teve um atrito comigo.

Eu estava em pé junto à mesa de bilhar, estorvava a passagem por inadvertência, e ele precisou passar; tomou-me então pelos ombros e, silenciosamente, sem qualquer aviso prévio ou explicação, tirou-me do lugar em que estava, colocou-me em outro e passou por ali, como se nem sequer me notasse. Até pancadas eu teria perdoado, mas de modo nenhum poderia perdoar que ele me mudasse de lugar e, positivamente, não me notasse.

O diabo sabe o que não daria eu, naquela ocasião, por uma briga de verdade, mais correta, mais decente, mais — como dizer? — *literária*! Fui tratado como uma mosca. Aquele oficial era bem alto, e eu sou um homem baixinho, fraco. A briga, aliás, estava em minhas mãos: bastava protestar e, naturalmente, seria posto janela afora. Mas eu mudei de opinião e preferi... apagar-me, enraivecido.

Saí da taverna, perturbado e confuso, e fui diretamente para casa; no dia seguinte, prossegui em minha devassidãozinha, ainda com maior timidez, de modo ainda mais opresso e triste, como se tivesse lágrimas nos olhos, mas, assim mesmo, prossegui. Não penseis, aliás, que me tenha intimidado frente ao oficial por covardia: nunca fui covarde de espírito, embora incessantemente me acovardasse de fato, mas esperem com este riso, há explicação para isto; tenho uma explicação para tudo, eu vos asseguro.

Oh, se aquele oficial fosse dos que concordam em lutar num duelo! Mas não, era exatamente dos tais cavalheiros (ai, há muito desaparecidos!) que preferiam agir com tacos de bilhar ou, a exemplo do tenente Pirogóv, de Gógol, com o apoio das autoridades.[28] E que não lutavam em duelos, ou, em todo caso, considerariam indecente um duelo com a nossa gente, com a paisanada. De modo geral, achavam o duelo algo inconcebível, francês, coisa de livres-pensadores, e, ao mesmo tempo, comportavam-se de modo bastante ofensivo, sobretudo no caso de serem bem altos.

---

[28] No conto "A Avenida Niévski" de Gógol, o Tenente Pirogóv, depois de espancado, quis queixar-se às autoridades. (N. do T.)

Daquela vez não me intimidei por covardia, mas em virtude da mais ilimitada vaidade. Não me assustei com a altura do oficial, nem com a perspectiva de ser dolorosamente espancado e jogado pela janela; e realmente eu teria suficiente coragem física, o que me faltou foi coragem moral. Assustei-me com o fato de que todos os presentes — desde o insolente rapaz que marcava os pontos até o funcionariozinho apodrecido, rosto coberto de cravos, que se esgueirava por ali de um lado para outro, o colarinho coberto de gordura — não me compreenderiam e me cobririam de zombarias, quando eu protestasse e passasse a falar-lhes numa linguagem literária. Porquanto, sobre ponto de honra, isto é, não a honra, mas o ponto de honra (*point d'honneur*) até hoje realmente não se pode falar, a não ser em linguagem literária. Na linguagem corrente, não se faz referência a este "ponto de honra". Eu estava plenamente convicto (o senso da realidade, apesar de todo o romantismo!) de que todos eles iriam simplesmente rebentar de rir, e que o oficial não iria apenas espancar-me, isto é, sem ofender, mas obrigatoriamente me daria joelhadas, conduzindo-me deste modo em torno da mesa de bilhar, e só depois seria capaz de fazer-me a graça de me atirar pela janela. Está claro que esta miserável história não podia acabar, para mim, de maneira tão simples. Posteriormente, encontrei na rua, com frequência, esse oficial e gravei-o bem na memória. Apenas, não sei se ele me reconhecia. Provavelmente não, o que concluo por alguns indícios. Mas eu, eu o olhava com raiva e ódio, e isto continuou assim... por alguns anos! A minha raiva até se fortalecia e se expandia com o passar do tempo. A princípio, comecei, aos pouquinhos, a recolher informações sobre aquele oficial. Era difícil para mim, porque eu não conhecia ninguém. Mas, certa vez, alguém o chamou na rua pelo sobrenome, quando eu o seguia a distância, como se estivesse amarrado a ele, e foi assim que lhe conheci o sobrenome. De outra feita, fui seguindo os seus passos, até que ele chegasse em casa, e informei-me com o zelador, por dez copeques, sobre o andar em que morava, se vivia sozinho ou com alguém etc.; em suma, tudo o que se pode vir a saber com um zelador. Uma vez, de manhã, embora até então nunca fosse dado às literaturas, veio-me de repente a ideia de descrever aquele oficial numa transposição acusatória, caricatural, em forma de novela. Foi com prazer que a escrevi. Eu acusava, cheguei a caluniar até; a princípio, dei-lhe um sobrenome que poderia ser de imediato reconhecido, mas, depois de maduras reflexões, modifiquei-o e mandei o escrito para os *Anais da Pátria*.[29] Mas, naquele tempo, ainda não estavam em voga as acusações, e eles não me imprimiram a novela. Fiquei muito magoado. Às vezes, a raiva simplesmente me sufocava. Afinal, decidi desafiar o meu inimigo para um duelo. Compus uma carta linda e atraente, implorando-lhe que se desculpasse perante mim; e, para o caso de uma recusa, aludia com bastante firmeza a um duelo. A carta foi escrita de modo que, se o oficial compreendesse um pouco sequer o "belo e sublime", seguramente viria correndo à minha casa, para se atirar ao meu pescoço e oferecer a sua amizade. E como seria bom! Viveríamos tão bem, como amigos! Tão bem! Ele me defenderia com a imponência da sua posição; eu o tornaria mais nobre com a minha cultura, bem... com as ideias também, e muita coisa mais poderia acontecer! Imaginai que já se haviam passado dois anos desde que ele me ofendera, e o meu desafio a um duelo constituía o mais feio anacronismo, apesar de toda a habilidade da minha carta, que explicava e disfarçava o anacronismo. Mas, graças a Deus (até hoje agradeço ao Altíssimo com lágrimas nos olhos), não a enviei. Quando lembro o que poderia ter acontecido se a mandasse, um arrepio me percorre o corpo. E de repente... de repente me vinguei do modo mais simples, mais genial! Baixou sobre mim de súbito um pensamento muito luminoso. Às vezes, em

---

[29] *Otiétchestvienie Zapíski* — publicação que realmente existiu na época. (N. do T.)

dias feriados eu ia, depois das três, para a Avenida Niévski[30] e ficava passeando do lado do sol, isto é, não passeava absolutamente, mas experimentava sofrimentos sem conta, humilhações e derrames de bílis; mas é provável que precisasse justamente disso. Esgueirava-me, como uma enguia, do modo mais feio, por entre os transeuntes, cedendo incessantemente caminho ora a generais, a oficiais da cavalaria ou dos hussardos, ora a senhoras; sentia, nesses momentos, dores convulsivas no meu coração e calor nas espáduas, à simples ideia da miséria do meu traje e da vulgaridade da minha deslizante figurinha. Era o cúmulo do suplício, uma humilhação incessante e insuportável, suscitada pelo pensamento, que se transformava numa sensação contínua e direta de que eu era uma mosca perante todo aquele mundo, mosca vil e desnecessária, mais inteligente, mais culta e mais nobre que todos os demais, está claro, mas uma mosca cedendo sem parar diante de todos, por todos humilhada e por todos ofendida. Para que recolhia em mim tal sofrimento, para que ia à Avenida Niévski, não sei; mas algo me *arrastava* para lá sempre que era possível.

Eu já começava a experimentar então aqueles acessos de prazer de que tratei no primeiro capítulo. Mas, depois da história com o oficial, fui atraído ainda mais intensamente pela Avenida Niévski: era ali que eu o encontrava com mais frequência, e contemplava-o encantado. Também ele ia à avenida, sobretudo nos dias feriados. Embora também se desviasse ante os generais e outras pessoas de alta posição, e também se esgueirasse por entre eles como uma enguia, quando se tratava de pessoas da nossa espécie, ou mesmo um pouco melhor, ele simplesmente as pisava; ia na sua direção como se tivesse diante de si um espaço vazio, e jamais cedia caminho. Olhando-o eu me embriagava com a minha raiva, mas... cheio de raiva, cada vez me desviava dele. Atormentava-me

---

[30] A avenida principal de São Petersburgo. (N. do T.)

o fato de que, mesmo na rua, não pudesse tratá-lo de igual para igual. "Por que és sempre o primeiro a te desviar?", insistia comigo mesmo, em desenfreada histeria, acordando às vezes depois das duas da madrugada. — "Por que justamente tu e não ele? Não há nenhuma lei nesse sentido, nem isso está escrito em parte alguma. Ora, que seja de igual para igual, como geralmente se dá quando duas pessoas delicadas se encontram: ele há de ceder metade do caminho; tu farás o mesmo, e assim passareis um ao lado do outro, respeitando-vos mutuamente." Mas não era isto o que acontecia, e, apesar de tudo, eu é que cedia caminho, e ele nem chegava a perceber que eu o tinha feito. E eis que de chofre um pensamento muito surpreendente tomou conta de mim. "E que tal", pensei, "que tal se me encontrar com ele e... não ceder passagem? Não ceder passagem intencionalmente, ainda que seja preciso empurrá-lo, hem, que acontecerá?". Este pensamento atrevido apossou-se de mim pouco a pouco, a tal ponto que não me deu mais sossego. Eu sonhava com isto incessantemente, de modo terrível, e, de propósito, passei a ir com mais frequência à Avenida Niévski, para a mim mesmo representar, com mais nitidez ainda, como haveria de fazer aquilo. Estava entusiasmado. Aquela intenção parecia-me cada vez mais provável e possível. "Está claro que não devo propriamente dar-lhe um empurrão", pensava, de antemão mais bondoso, mais alegre, "mas simplesmente não ceder caminho, chocar-me com ele, não de modo muito doloroso, mas apenas ombro a ombro, na exata medida que a decência permitir; de modo que não vou esbarrar nele com mais força do que ele em mim". Afinal, decidi-me de uma vez. Os preparativos levaram, porém, muito tempo. Em primeiro lugar, ao executar o ato, deveria estar bem apresentável, e, por isso, tive que me preocupar com o traje. "Por via das dúvidas, na hipótese, por exemplo, de surgir com isto um caso público (e o público, lá, é *superflu*: passeiam por ali a Condessa, o Príncipe D., toda a literatura), é preciso estar bem trajado; isto impressiona e há de nos

Memórias do subsolo

67

colocar, de certo modo, no mesmo pé aos olhos da alta sociedade." Com este objetivo, pedi adiantadamente os meus vencimentos e comprei umas luvas negras e um chapéu decente na loja de Tchúrkin. As luvas pretas pareciam-me mais apropriadas, mais de *bon ton* do que as cor de limão, que eu tencionava a princípio comprar. "É uma cor demasiado gritante, dá a impressão de que a pessoa quer se exibir." E não comprei as cor de limão. Já tinha preparada, havia muito, uma boa camisa, com abotoaduras brancas, de osso; mas o capote fez surgir grandes dificuldades. Esse capote, por sinal nada mau, agasalhava-me bem; mas era de algodão e tinha a gola de prócion, o que constituía já o cúmulo do lacaiesco. Era preciso, a todo custo, trocar aquela gola por uma de castor, dessas que os oficiais usam. Para tal fim comecei a frequentar o Pátio dos Hóspedes[31] e, depois de algumas tentativas, fiz pontaria sobre um castor alemão barato. Embora esses castores alemães se gastem muito depressa e adquiram então o mais miserável aspecto, quando novos até que têm uma aparência bem decente; e eu precisava dele para uma vez só. Informei-me do preço: ainda era caro. Após um raciocínio fundamentado, decidi vender a minha gola de prócion. Quanto ao que ficava faltando — quantia bastante considerável para mim —, resolvi pedi-la emprestada a Antón Antônitch Siétotchkin, meu chefe de seção, homem de caráter suave, embora sério e positivo, que nunca emprestava dinheiro, mas a quem fui especialmente recomendado, ao ser admitido no emprego, pelo dignitário que promovera a minha admissão. Torturei-me terrivelmente. Pedir dinheiro a Antón Antônitch parecia-me monstruosidade, uma vergonha. Passei até duas ou três noites sem dormir. De modo geral, dormia pouco então; andava febril; meu coração petrificava-se, de certo modo

---

[31] Nas cidades da antiga Rússia, denominavam-se assim galerias com lojas, que as autoridades cediam aos negociantes forasteiros. Depois, estas lojas passaram a ser utilizadas pelo comércio local. (N. do T.)

indefinido, ou punha-se, de repente, a pular, pular, pular!...
Antón Antônitch, a princípio, surpreendeu-se; depois fez uma
careta, a seguir ficou pensativo, e, ao fim, fez-me o empréstimo, exigindo de mim um recibo, com direito a receber de volta
o dinheiro emprestado, descontando-o, duas semanas mais
tarde, do meu ordenado. Deste modo, finalmente, estava tudo
pronto; o bonito castor entronizou-se no lugar da desprezível pele de prócion e, aos poucos, fui-me ocupando dos preparativos para o ato. Não se podia obedecer ao primeiro impulso, fazer tudo ao acaso; era preciso atuar pouco a pouco,
com eficiência. Mas confesso que, depois de numerosas tentativas, comecei até a desesperar: não dávamos de modo nenhum o encontrão, eis tudo! Do modo como eu me preparava e ajeitava para aquilo, parecia que mais um pouco e íamos
dar o encontrão; mas reparava e... mais uma vez eu tinha
cedido caminho, e ele passara sem sequer me notar. Acercando-me dele, eu até rezava, pedindo a Deus que me infundisse
ânimo. De uma feita, até me decidira de vez, mas, por fim,
apenas caí diante dele, porque, no instante derradeiro, à distância de uns dois *vierchokes*, faltou-me coragem. Ele caminhou por cima de mim com toda a tranquilidade, e eu me atirei
para um lado, como uma bola. Nessa noite, mais uma vez,
estive doente, febril, e delirei. E, de súbito, tudo acabou do
melhor modo possível. Na noite anterior eu resolvera definitivamente desistir da execução do meu ato nefasto, deixar
tudo como estava, e, com este propósito, saí para a Avenida
Niévski, simplesmente com a intenção de ver como ia deixar
tudo sem alteração. De chofre, a três passos do meu inimigo,
inesperadamente me decidi, franzi o sobrolho e... chocamo-nos com força, ombro a ombro! Não cedi nem um *vierchók*
e passei por ele, absolutamente de igual para igual! Ele não
se voltou sequer e fingiu não ter visto nada; mas apenas fingiu, estou certo. Guardo esta convicção até hoje! Está claro
que sofri golpe mais violento; ele era mais forte. Mas não era
isto o que importava. O que importava era que eu atingira o

objetivo, mantivera a dignidade, não cedera nem um passo, e, publicamente, me colocara ao nível dele, do ponto de vista social. Voltei para casa vingado de tudo. Meu estado era de arrebatamento. Triunfara, e ia cantando árias italianas. Está claro que não vos descreverei o que me sucedeu três dias mais tarde; se lestes o meu primeiro capítulo, "O subsolo", podeis adivinhar sozinhos. O oficial foi depois transferido não sei para onde, já faz uns quatorze anos que não o vejo. Por onde andará agora o meu caro amigo? Em quem estará pisando?

II

Chegava, porém, ao fim a fase da minha devassidãozinha, e eu começava a ter náuseas terríveis. Assaltava-me o arrependimento, mas eu o repelia: era por demais nauseante. Todavia, também a isso me acostumei, pouco a pouco. Acostumava-me, ou melhor, não é que me acostumasse, mas de certo modo concordava voluntariamente em suportar tudo. Mas eu tinha uma solução apaziguadora: era refugiar-me no que fosse "belo e sublime", em devaneios, é claro. Devaneava terrivelmente, três meses seguidos, encolhido no meu canto, e — crede — nesses momentos eu não me parecia com o cavalheiro que, na confusão do seu coração de galináceo, pregava à gola do capote uma pele alemã de castor. Tornava-me de repente herói. Não receberia sequer de visita aquele meu tenente de dez *vierchokes*. Nem sequer podia imaginá-lo então. É difícil dizer agora em que consistiam os meus devaneios e como pude contentar-me com eles, mas o certo é que me contentei. Aliás, mesmo agora, em parte me contento com isto. Os devaneios vinham-me com particular doçura e intensidade após a devassidãozinha, vinham com arrependimento e lágrimas, com maldições e êxtases. Eu tinha momentos de tão positiva embriaguez, de felicidade tal, que, juro por Deus, não havia em mim a menor zombaria. O que havia era fé, esperança, caridade. Aí é que está: eu acreditava então cegamente que, por um milagre qualquer, por alguma circunstância exterior, tudo se abriria e alargaria num átimo e, num átimo também, surgiria o horizonte da correspondente atividade, benfazeja, bela e, principalmente, *de todo acabada* (nunca soube qual seria exatamente essa atividade, mas, sobretudo, era absolutamente acabada), e eu sairia de súbito para o mundo de Deus como que montando um cavalo branco e cingido por uma coroa de louros. Não podia compreender sequer um papel secundário e justamente por isso desempenhava bem tranquilamente, na realidade, o último dos papéis. Herói ou imundice, não havia meio-termo. Foi exatamente isto que me perdeu, porque na imundice eu me consolava com o fato de ser herói em outra hora, e o herói disfarçava consigo a imundice, como se dissesse: "Ao homem comum é vergonhoso chafurdar na imundice, mas um herói paira demasiado alto para ficar completamente sujo; por conseguinte, lhe é permitida a imundice". É admirável que estes acessos de tudo o que era "belo e sublime" me assaltassem, até mesmo no decorrer da devassidãozinha, e justamente quando eu já me encontrava bem no fundo, que chegassem em lampejos isolados, como que lembrando a sua existência, sem destruir, todavia, a devassidãozinha com o seu aparecimento; pelo contrário, como que a ativavam pelo contraste, e vinham exatamente na medida necessária para um bom molho. O molho, no caso, consistia em contradições, sofrimentos e torturante análise interior. E todas essas torturas e torturazinhas acrescentavam um sabor picante e até um sentido à minha devassidãozinha. Numa palavra, cumpriam plenamente as funções de um bom molho. Tudo isso não era mesmo desprovido de certa profundidade. E podia eu acaso conformar-me com uma devassidãozinha simples, vulgar, direta, de amanuense, e carregar sobre mim toda esta imundice?! Neste caso, que haveria nela que me pudesse seduzir e atrair de noite para a rua? Não, eu tinha saída nobre para tudo...

Mas quanto amor, meus senhores, quanto amor me acon-

Memórias do subsolo

tecia padecer nesses meus devaneios, nesses "salvamentos em tudo o que é belo e sublime": embora fosse um amor fantástico, que jamais convidava efetivamente para algo humano, tão abundante era ele que, depois, nem se sentia já, sequer, necessidade de aplicá-lo: seria um luxo demasiado. Tudo, aliás, terminava sempre do modo mais favorável: por uma preguiçosa e embriagadora passagem à arte, isto é, às formas belas da existência, de todo acabadas, intensamente roubadas a poetas e romancistas, e adaptadas a toda espécie de serviços e exigências. Eu, por exemplo, triunfo sobre todos; todos, naturalmente, ficam reduzidos a nada e são forçados a reconhecer voluntariamente as minhas qualidades, e eu perdoo a todos. Apaixono-me, sendo poeta famoso e gentil-homem da Câmara Real,[32] recebo milhões sem conta e, imediatamente, faço deles donativos à espécie humana e ali mesmo confesso, perante todo o povo, as minhas ignomínias, que, naturalmente, não são simples ignomínias, mas encerram uma dose extraordinária de "belo e sublime", de algo manfrediano.[33] Todos choram e me beijam (de outro modo, que idiotas seriam eles!), e eu vou, descalço e faminto, pregar as novas ideias e derroto os retrógrados sob Austerlitz. A seguir, há um toque de marcha, promulga-se a anistia, o Papa concorda em transferir-se de Roma para o Brasil; depois há um baile para toda a Itália em Villa Borghese, que fica junto ao lago de Como, pois o lago de Como, para tal fim, é transferido especialmente para Roma; segue-se uma cena entre os arbustos etc. etc. — Sabeis? Dir-me-eis que é vulgar e ignóbil levar agora tudo isso para a feira, depois de tantos transportes e lágrimas por mim próprio confessados. Mas, ignóbil por quê? Pensais porventura que eu me envergonhe de tudo isso,

[32] Alusão a A. S. Púchkin, que exercera o cargo imediatamente inferior a esta. (N. do T.)

[33] Referência ao drama de Byron, *Manfredo*. (N. do T.)

e que tudo isso foi mais estúpido que qualquer episódio da vossa vida, meus senhores? Além do mais, crede, algo não estava de todo mal-arranjado... Nem tudo sucedia no lago de Como. Aliás, tendes razão: de fato, é vulgar e ignóbil. Mas o mais ignóbil é que eu tenha começado agora a justificar-me perante vós. E ainda mais ignóbil é o fato de fazer esta observação. Chega, porém, senão isto não acabará nunca mais: sempre haverá algo mais ignóbil que o resto...

Como não pudesse passar mais de três meses seguidos devaneando, começava a sentir uma necessidade invencível de me lançar na sociedade. Lançar-me na sociedade significava para mim ir visitar o meu chefe de seção, Antón Antônitch Siétotchkin. Em toda a minha vida, foi a única pessoa com quem mantive relações permanentes, e eu próprio me surpreendo agora com este fato. Mas só ia visitá-lo quando atingia aquela fase, quando os meus devaneios me traziam tamanha felicidade que me era inevitável e imediatamente necessário abraçar as pessoas e toda a humanidade; e, para este fim, necessitava contar ao menos com uma pessoa que existisse realmente. Aliás, era preciso visitar Antón Antônitch às terças (o seu dia de receber) e, por conseguinte, ajustar à terça-feira a necessidade de abraçar toda a humanidade. O referido Antón Antônitch morava nas Cinco Esquinas, num quarto andar, em apartamento de quatro cômodos dos baixos, um menor que o outro, amarelados e muito modestos. Vivia com duas filhas e a tia destas, que servia chá. As filhas, uma de treze anos e a outra de quatorze, tinham ambas nariz arrebitado; eu ficava extremamente encabulado na sua presença, pois não cessavam de trocar segredinhos, acompanhados de um riso abafado. O dono da casa ficava comumente em seu escritório, sentado num divã de couro, diante da mesa, em companhia de algum visitante grisalho, funcionário do nosso departamento ou mesmo de algum outro. Nunca encontrei ali mais de duas ou três visitas, e sempre as mesmas. Falavam do imposto de consumo, da adjudicação no senado, dos salários,

Memórias do subsolo

73

da produção, de Sua Excelência, dos meios de agradar etc. etc. Eu tinha a paciência de ficar feito um imbecil, durante umas quatro horas, na companhia daquelas pessoas, ouvindo-as, sem ousar nem poder puxar com elas qualquer assunto. Ficava embotado, começava diversas vezes a suar, pairava sobre mim a paralisia; mas isto era bom e útil. Voltando para casa, adiava por algum tempo o meu desejo de abraçar toda a humanidade.

Aliás, eu tinha ainda outro conhecido, por assim dizer: Símonov, meu ex-colega de escola. Havia muitos outros colegas meus de escola em São Petersburgo, mas não me dava com eles e até deixara de cumprimentá-los na rua. É possível que eu me tenha transferido para outra repartição justamente para não ficar junto deles e romper de vez com toda a minha odiosa infância. A maldição cubra aquela escola e aqueles terríveis anos de forçado! Numa palavra, separei-me dos colegas logo que me vi livre. Restavam, é verdade, dois ou três, que eu ainda cumprimentava ao encontrar. Entre estes, Símonov, que em nada se distinguira na nossa escola, que era quieto e de hábitos regulares, mas em quem eu reconhecia certa independência de caráter e, mesmo, honestidade. Não creio, até, que fosse de inteligência muito limitada. Passei com ele, outrora, certos momentos bastante luminosos, mas não duraram muito e, de repente, como que se cobriram de névoa. Segundo parecia, a recordação disso lhe era penosa e aparentemente ele temia que eu voltasse ao tom antigo. Eu suspeitava que ele tinha grande repugnância por mim, mas, assim mesmo, frequentava a sua casa, pois não tinha certeza disso.

Pois bem, de uma feita, numa quinta-feira, não suportando mais a minha solidão e sabendo que, nesse dia, estava fechada a porta de Antón Antônitch, lembrei-me de Símonov. Enquanto subia a escada para o quarto andar, onde ele morava, ia justamente pensando que esse cavalheiro já se cansava da minha companhia e que eu ia em vão a sua casa. Mas, como sempre ocorria, tais considerações pareciam impelir-me, ainda mais, para uma situação dúbia e, por isto, entrei. Havia quase um ano que eu vira Símonov pela última vez.

III

Encontrei ali mais dois colegas de escola. Pareciam tratar de um caso importante. Nenhum deles notou a minha chegada, o que era estranho até, pois fazia anos que não nos víamos. Provavelmente, consideravam-me algo semelhante à mais ordinária das moscas. Nem mesmo na escola me haviam tratado daquele modo, embora todos me odiassem lá. Compreendia, naturalmente, que deviam desprezar-me pelo fracasso da minha carreira de funcionário e pelo fato de eu ter decaído muito, de andar mal-trajado etc., o que, aos seus olhos, era um sinal evidente da minha incapacidade e insignificância. Mas apesar de tudo eu não esperava um desprezo tão imenso. Símonov foi até surpreendido com a minha entrada. Também antes já parecia surpreender-se com minhas visitas. Tudo aquilo me deixou intrigado; sentei-me, preso de certa angústia, e me pus a ouvir o que diziam.

Estava em curso uma conversa séria e até animada sobre o jantar de despedida que aqueles cavalheiros pretendiam organizar para o dia seguinte, em homenagem ao amigo deles, Zvierkóv,[34] que era oficial e estava de partida para uma província distante. *Monsieur* Zvierkóv fora também meu colega de escola durante todo o curso. Eu passara a odiá-lo, particularmente, quando cursávamos os últimos anos. Nos primeiros, fora apenas um menino bonitinho, vivo, de quem todos gostavam. Aliás, eu o odiara nos primeiros anos também, exatamente pelo fato de ser ele bonitinho e vivo. Zvierkóv sempre se saíra mal na escola e fora piorando à medida que avança-

---

[34] Sobrenome derivado de *zvier* (fera). (N. do T.)

va no curso; no entanto, concluiu-o com êxito, porque dispunha de proteção. No seu último ano de escola, recebeu uma herança de duzentas almas,[35] e, visto que em nosso meio quase todos eram pobres, começou até a fanfarronar diante de nós. Era um tipo vulgar, no mais alto grau, mas, apesar disso, um bom sujeito, mesmo quando fanfarronava. E entre nós, apesar das formas exteriores fantásticas e palavrosas de honra e sobranceria, todos, com bem poucas exceções, procuravam até agradar a Zvierkóv, atitude que aumentava na medida de sua fanfarronice. E não o faziam para obter alguma vantagem, mas simplesmente pelo fato de ser um homem favorecido pelos dons da natureza. Além disso, era costume nosso considerar Zvierkóv um especialista quanto à habilidade e boas maneiras. Esta última circunstância deixava-me sobremaneira furioso. Odiava a sua voz abrupta, de quem não duvida de si, a adoração de suas próprias pilhérias, que lhe saíam terrivelmente estúpidas, embora fosse de fato ousado ao falar; odiava o seu rosto bonito, estupidozinho (pelo qual, aliás, eu trocaria de bom grado o meu, que era *inteligente*), as suas maneiras desembaraçadas de oficial de 1840. Odiava o que dizia sobre os seus futuros êxitos com as mulheres (ele não ousava começar a ter casos com mulheres enquanto não usasse galões de oficial, e esperava-os com impaciência) e como ia participar constantemente de duelos. Lembro-me de que eu, sempre calado, atraquei-me de súbito com Zvierkóv, quando este — comentando, certa vez, com alguns colegas, num momento de folga, os futuros prazeres e, desenfreando-se por fim, como um cãozinho novo ao sol — disse de repente que não deixaria sem atenção nenhuma das moças camponesas da sua aldeia, que isto era *droit de seigneur*[36] e que, se os

---

[35] Na antiga Rússia, os servos eram designados por "almas". (N. do T.)

[36] Alusão ao direito feudal do senhor de obrigar toda camponesa do seu domínio a passar com ele a primeira noite do casamento. (N. do T.)

mujiques se atrevessem a protestar, haveria de espancá-los e impor-lhes, àqueles canalhas barbudos, uma corveia dupla. Os nossos patifes aplaudiram-no, mas eu me atraquei com ele, e não foi de modo algum porque tivesse compaixão pelas moças e seus pais, mas simplesmente porque estavam aplaudindo um inseto daqueles. Saí vencedor naquela ocasião, mas Zvierkóv, ainda que estúpido, era alegre e insolente, e, por isto, saiu-se de tudo rindo, e de modo tal que eu até, a dizer verdade, não venci de todo: o riso sempre ficara a seu favor. Mais de uma vez, depois disso, ele me dominou, mas sem rancor, assim como que brincando, de passagem, rindo. Repassado de raiva e desdém, eu não lhe respondia. Por ocasião de nossa formatura, chegou a dar um passo na minha direção; eu não me opus propriamente, pois o fato me lisonjeara; mas logo nos separamos com toda a naturalidade. Ouvi falar, mais tarde, dos seus êxitos de caserna, de tenente, e de como ele *farreava*. Seguiram-se outros boatos, acerca do seu *sucesso* na carreira. Não me cumprimentava mais na rua, e eu suspeitava que ele temesse comprometer-se saudando uma pessoa insignificante como eu. Vi-o também certa vez no teatro, no terceiro balcão, já de alamares. Solícito, curvava-se diante das filhas de um velho general. Em três anos, decaíra muito, embora continuasse bastante bonito e ágil; como que inchara, começara a engordar; via-se que, chegado aos trinta, ficaria flácido de vez. Pois bem, era a este Zvierkóv, então de partida, que os meus colegas de escola queriam oferecer um jantar. Naqueles três anos, mantiveram com ele constantes relações, embora no íntimo, estou certo, não se considerassem do mesmo nível.

Das duas visitas de Símonov, uma era Fierfítchkin, descendente de alemães, de pequena estatura e cara de macaco, um imbecil que zombava de todos, meu acirrado inimigo desde os primeiros anos da escola — ignóbil e insolente fanfarrãozinho que fingia a máxima delicadeza de espírito, não obstante fosse, no fundo, um covarde. Era um daqueles admiradores de Zvierkóv que o adulavam ostensivamente e lhe pe-

Memórias do subsolo

diam com frequência dinheiro emprestado. O outro visitante era Trudoliubov,[37] personalidade pouco digna de nota, um militar de estatura elevada e fisionomia frígida, bastante honesto, mas que se inclinava diante de todo êxito e era capaz de conversar unicamente sobre produção. Era, eu não sei em que grau, parente afastado de Zvierkóv e, por mais tolo que isto pareça, o fato lhe dava certa importância em nosso meio. Considerou-me sempre uma pessoa insignificante e tratava-me de modo não de todo delicado, mas suportável.

— Bem, se forem sete rublos por pessoa — disse Trudoliubov — e já que somos três, serão vinte e uma pratas; pode-se jantar bem. Zvierkóv, naturalmente, não vai pagar.

— Está claro, pois somos nós que o convidamos — decidiu Símonov.

— Vocês estão pensando acaso — intrometeu-se Fierfítchkin, arrogante e impetuoso, como um criado insolente que se vangloriasse das condecorações do general seu patrão —, estão pensando que Zvierkóv nos deixará pagar toda a despesa? Ele aceitará, por delicadeza, mas, por sua conta, encomendará *meia dúzia*.

— Ora, para que meia dúzia para nós quatro? — observou Trudoliubov, que só ouvira a referência à meia dúzia.

— Bem, somos três, com Zvierkóv quatro, vinte e um rublos para o *Hôtel de Paris*, amanhã às cinco horas — concluiu Símonov, que fora eleito para tratar do caso.

— Como vinte e um? — disse eu um tanto perturbado, parecendo até ofendido. — Contando-se comigo, serão vinte e oito rublos e não vinte e um.

Parecera-me que seria até muito bonito oferecer-me tão súbita e inesperadamente e que todos eles seriam vencidos no mesmo instante e me olhariam com respeito.

— Mas você também quer? — observou Símonov, des-

---

[37] Sobrenome cujo significado é "que ama o trabalho". (N. do T.)

contente, como que evitando olhar-me. Conhecia-me como a palma de sua mão.

Enfureceu-me o fato de que ele me conhecesse tão bem.

— E por que não? Parece-me que sou igualmente colega e, confesso, sinto-me até ofendido pelo fato de não me terem convidado — exaltei-me de novo.

— E onde iríamos procurá-lo? — intrometeu-se Fierfítchkin com grosseria.

— Você nunca esteve em boas relações com Zvierkóv — acrescentou Trudoliubov franzindo o cenho.

Mas eu me agarrara ao pretexto e não o deixava.

— Creio que ninguém tem o direito de julgar isto — repliquei com a voz trêmula, como se tivesse acontecido Deus sabe o quê. — Talvez eu o queira agora, justamente pelo fato de não ter estado em boas relações com ele.

— Bem, quem é que pode compreendê-lo?... Todas essas alturas... — disse Trudoliubov, sorrindo com ironia.

— Você vai ser incluído — resolveu Símonov, dirigindo-se a mim. — Amanhã, às cinco horas, no *Hôtel de Paris*; não se engane.

— O dinheiro! — começou Fierfítchkin a meia-voz, fazendo para Símonov um sinal na minha direção, mas deteve-se, porque o próprio Símonov ficou encabulado.

— Basta — disse Trudoliubov, levantando-se. — Se lhe deu toda essa imensa vontade, venha.

— Temos o nosso grupinho de amigos — disse, irritado, Fierfítchkin, apanhando também o chapéu. — Não se trata de uma reunião oficial. Talvez nem queiramos a sua companhia...

Saíram; Fierfítchkin nem se inclinou diante de mim para despedir-se; Trudoliubov mal fez um aceno com a cabeça, sem olhar. Símonov, com quem fiquei frente a frente, permanecia em certo estado de magoada perplexidade e me olhou de modo estranho. Não se sentou e não me convidou a fazê-lo.

— Hum... sim... então, é amanhã. Vai dar o dinheiro agora? É para saber com certeza — balbuciou confuso.

Abrasei-me, mas, abrasando-me, lembrei-me de que de longa data devia a Símonov quinze rublos, o que nunca esquecera, é verdade, conquanto isto não me tivesse levado a devolver-lhe o dinheiro.

— Convenha comigo, Símonov, que eu não podia saber, ao vir aqui... Sinto muito ter esquecido...

— Está bem, está bem, tanto faz. Vai pagar amanhã, durante o jantar. Eu disse apenas para se saber... Por favor...

Interrompeu-se bruscamente e se pôs a caminhar pela sala, ainda mais despeitado. Parava de vez em quando e batia o pé com força.

— Não o atrapalho? — perguntei, depois de uns dois minutos de silêncio.

— Oh, não! — Estremeceu de repente. — Isto é, na verdade, sim. Sabe? Eu ainda preciso passar... É aqui perto... — acrescentou como que se desculpando e, em parte, envergonhado.

— Ah, meu Deus! Por que não me disse?! — exclamei, apanhando o boné, com uma expressão surpreendentemente desembaraçada, que me surgira Deus sabe como.

— Mas não é longe daqui... A dois passos... — repetia Símonov, acompanhando-me até a antessala, com um ar agitado que não lhe ia bem. — Então, amanhã, às cinco em ponto! — gritou-me para a escada: estava de fato muito contente porque eu ia embora. Quanto a mim, ficara furioso.

Para que precisava, para que precisava eu desta saída?, rangia os dentes, caminhando pela rua. E a um canalha destes, a um porquinho, ao Zvierkóv! Está claro que não devo ir; está claro que devo cuspir para tudo isto. Alguém me obriga? Amanhã mesmo informarei Símonov pelo correio...

E havia até um pretexto ponderável para não ir: estava sem dinheiro. Ao todo, tinha nove rublos guardados. Mas, destes, era preciso dar sete no dia seguinte, como ordenado mensal, a meu criado Apolón, a quem eu pagava sete rublos sem comida.

Não os pagar era impossível, tendo em vista o gênio de Apolón. Mas deixarei para alguma outra ocasião falar deste canalha, desta minha úlcera.

Bem que eu sabia, porém, que não lhe pagaria o dinheiro e iria, sem falta, ao jantar.

Nessa noite, tive os mais abomináveis pesadelos. Não é para estranhar: antes de dormir, ficara oprimido, o tempo todo, pelas recordações dos anos patibulares da minha vida escolar, e não pude libertar-me delas. Empurraram-me para aquela escola uns parentes distantes, dos quais eu dependia e de quem, desde então, nunca mais ouvi qualquer notícia. Empurraram-me para lá, órfão, oprimido já pelas suas censuras, pensativo, silencioso, que espiava de modo estranho tudo ao redor. Os colegas receberam-me com zombarias malignas, desapiedadas, porque não me assemelhava a nenhum deles. Mas eu não podia suportar as zombarias; não podia acomodar-me a eles tão facilmente como eles se acomodavam uns aos outros. Passei imediatamente a odiá-los e me encerrei, fugindo a todos, num assustado, ferido e imensurável orgulho. Indignava-me a rudeza deles. Riam cinicamente do meu rosto, do meu vulto desengonçado; e, no entanto, que rostos estúpidos os deles próprios! Em nossa escola, as expressões de rosto como que se estupidificavam e transformavam de modo especial. Quantos meninos encantadores ingressavam no estabelecimento! Alguns anos depois, até dava nojo olhá-los. Já aos dezesseis anos eu me surpreendia, taciturno, com eles; já então a mesquinhez do seu pensamento e a estupidez das suas ocupações, jogos e conversas me deixavam perplexo. Havia coisas tão fundamentais que eles não compreendiam e assuntos tão impressionantes e importantes pelos quais não se interessavam, que, sem querer, passei a considerá-los inferiores a mim. Não me impelia a isto a vaidade ofendida e — pelo amor de Deus! — não me venhais com essas expressões burocráticas, que enjoam a ponto de causar náuseas, no sentido de que "eu estava simplesmente sonhando, e eles, já naquele tempo, compreendiam a vida real". Eles não compreendiam nada, nenhuma vida real e, juro, era justamente esta característica deles que me indignava, antes de mais nada. Reagiam de modo estupidamente fantástico à realidade mais evidente, que até feria o olhar, e já então estavam acostumados a venerar unicamente o êxito. Riam cruel e vergonhosamente de tudo o que era justo, mas humilhado e oprimido. Confundiam um posto elevado com inteligência e, aos dezesseis anos, já discutiam possíveis sinecuras. Está claro que uma boa parte de tudo isto provinha da estupidez e dos maus exemplos que lhes rodeavam incessantemente a infância e a adolescência. Eram devassos até a monstruosidade. Naturalmente, também nisso, tudo era principalmente exterior, repassado de cinismo artificial; está claro que a juventude e certo frescor apareciam neles, mesmo por trás da devassidão, mas até esse frescor era pouco atraente e manifestava-se sob certa forma de libertinagem. Odiava-os terrivelmente, embora fosse talvez até pior que eles. Pagavam-me de modo idêntico e não escondiam de mim a repugnância que lhes inspirava. Mas eu mesmo não queria a sua amizade; pelo contrário, ansiava constantemente que me humilhassem. Para me livrar dos seus motejos, comecei de propósito a estudar o máximo possível e, abrindo à força o caminho, coloquei-me entre os primeiros da classe. Isto lhes causou impressão. Começaram também a perceber que eu lia livros que eles não podiam ler e compreendia assuntos (alheios ao nosso programa especial) de que eles nem sequer tinham ouvido falar. Constatavam isso com ferocidade e zombaria, mas submetiam-se moralmente, tanto mais que os próprios professores fixavam, por esse motivo, a atenção em mim. Cessaram os motejos, mas a animosidade permaneceu, estabelecendo-se relações frias e tensas. Por fim, eu mesmo não resisti: com a idade, aumentava a necessidade de privar com pessoas, de ter amigos. Tentei aproximar-me de alguns, mas nesta aproximação havia sempre algo pouco natural, e ela extinguia-se por si. De uma feita, cheguei a ter um amigo. Mas, no íntimo, eu já era um déspota, e quis ter um domínio ilimitado sobre a sua alma; quis infundir-lhe desprezo pelo ambiente que o cercava; exigi-lhe um rompimento altivo e total com aquele meio. Assustei-o com a minha apaixonada amizade; fazia-o chegar às lágrimas, às convulsões; ele era uma alma ingênua, que se entregava; mas, quando se entregou a mim de todo, passei imediatamente a odiá-lo e repeli-lo como se ele me tivesse sido necessário apenas para que eu o vencesse, para que ele se submetesse a mim. Todavia, eu não podia vencer a todos; o meu amigo também não se parecia com nenhum deles e constituía a mais rara das exceções. A minha primeira tarefa, ao sair da escola, foi abandonar o serviço especial a que eu fora destinado, a fim de romper todos os liames, amaldiçoar o passado e cobri-lo de cinza... E o diabo sabe para que me arrastei, depois de tudo isto, à casa daquele Símonov!...

De manhã cedo, sobressaltei-me no leito, pulei, perturbado, como se tudo aquilo começasse a acontecer naquele mesmo instante. Mas eu acreditava que ia produzir-se e inevitavelmente se produziria, naquele mesmo dia, uma transformação radical em minha existência. Por falta de hábito, talvez, toda a vida eu tivera a impressão, até mesmo quando do mais insignificante acontecimento exterior, de que uma transformação radical estava para operar-se em minha vida. Fui para a repartição, como de costume, mas escapei para casa duas horas mais cedo, a fim de me preparar. O mais importante, pensava eu, era não chegar primeiro, senão julgariam que me alegrara muito. Mas havia milhares de coisas igualmente importantes, e todas elas me perturbavam até a exaustão. Eu próprio limpei, mais uma vez, as minhas botas; por nada deste mundo Apolón as limparia duas vezes num dia, considerando que aquilo não seria boa ordem. Para limpá-las, subtraí as escovas da saleta de entrada, a fim de que ele não o percebesse e não passasse a desprezar-me. A seguir, examinei minuciosamente os meus trajes e achei que

Memórias do subsolo

estava tudo velho, gasto, puído. Relaxara-me demais. O uniforme estava mais ou menos em ordem, mas iria acaso jantar de uniforme? E o pior era que as calças tinham, na altura do joelho, uma enorme mancha amarela. Pressenti que só aquela mancha tiraria nove décimos da minha dignidade. Por outro lado, sabia também que era grande baixeza pensar assim. "Mas agora não é caso de se pensar; está chegando a realidade", refletia, caindo em desânimo. Sabia igualmente, muito bem, que exagerava monstruosamente todos estes fatos, mas que restava fazer? Não podia mais dominar-me, e a febre fazia-me tremer. Imaginava, desesperado, como aquele "canalha" do Zvierkóv me receberia altiva e friamente; com desprezo embotado, invencível, me olharia o néscio Trudoliubov; de modo maldoso e insolente haveria de rir de mim o inseto Fierfítchkin, procurando agradar a Zvierkóv; como Símonov compreenderia tudo isto muito bem, em seu íntimo, e como ele me desprezaria pela baixeza da minha vaidade e fraqueza e, sobretudo, como tudo aquilo seria miserável, não *literário*, cotidiano. Está claro que o melhor seria não ir, definitivamente. Mas isso, mais que tudo, era impossível: quando algo começava a me puxar, deixava-me afundar de cabeça; senão, depois, eu próprio zombaria de mim mesmo a vida inteira. "E então? Ficaste acovardado, acovardado perante a *realidade*, acovardado de fato!" Pelo contrário, eu queria apaixonadamente demonstrar a toda aquela "cambada" que não era de modo algum o medroso que eu mesmo imaginava ser. Mais ainda: no mais intenso paroxismo da febre do medo, sonhava sobrepujá-los, vencê-los, arrastá-los, obrigá-los a amar-me; bem, ainda que fosse "pela elevação das ideias e pelo meu indiscutível espírito". Haveriam de deixar de lado Zvierkóv, que ficaria a um canto, calado, envergonhado; e eu o esmagaria. Depois, seria capaz de reconciliar-me com ele, beberíamos ambos, e eu o trataria por tu; mas o mais cruel para mim, e que me causava mais despeito, era o fato de já então saber — e saber inteiramente e com certeza — que, na realidade, não precisava de nada daquilo, que na verdade eu não queria de modo algum esmagá-los, dominá-los, atraí-los, e que — mesmo que alcançasse este resultado — seria o primeiro a não dar vintém por ele. Oh, como implorei a Deus que aquele dia passasse o mais depressa possível! Presa de inexprimível angústia, acercava-me da janela, abria o postigo e fixava o olhar na bruma turva da neve molhada, que caía densamente...

Por fim, o meu ordinário relógio de parede chiou cinco horas. Agarrei o chapéu e, procurando não olhar para Apolón — que, desde a manhã, não cessara de esperar pelo salário, mas, por orgulho, não quisera ser o primeiro a falar no caso —, esgueirei-me pela porta, passando por ele. Com o meu último meio rublo aluguei um carro de luxo e cheguei como um grão-senhor ao *Hôtel de Paris*.

IV

Já na véspera, eu sabia que seria o primeiro a chegar. Mas não se tratava mais de ser o primeiro.

Não só não chegara nenhum deles, mas até mal pude achar o nosso reservado. A mesa ainda não estava completamente arrumada. O que significaria aquilo? Depois de muito interrogatório, consegui saber finalmente, por meio dos criados, que o jantar estava encomendado para as seis horas e não cinco. Isto me foi confirmado também no bufê. Fiquei até envergonhado de perguntar. Eram apenas cinco e vinte e cinco. Se tinham transferido a hora, deveriam de qualquer modo avisar-me — para isto existe o correio municipal — e não me submeter a uma "vergonha" daquelas perante mim mesmo e... e até perante os garçons. Sentei-me; um garçom começou a arrumar a mesa; na presença dele, tudo se tornava de certo modo ainda mais doloroso. Pouco antes das seis, foram trazidas velas para o reservado, além dos lampiões que já havia ali. No entanto, aquele garçom não se lembrara de trazê-las quando eu chegara. No reservado contíguo estavam jantando, em mesas diferentes, dois clientes taciturnos que permaneciam silenciosos e pareciam zangados. Numa das salas afastadas havia muito barulho; gritava-se até; ouviam-se gargalhadas de todo um bando de pessoas; ressoavam alguns deselegantes ganidos franceses: tratava-se de um jantar em companhia de senhoras. Numa palavra, era nauseante ao extremo. Raramente eu tinha passado instantes tão desagradáveis, de modo que, às seis em ponto, quando eles apareceram todos juntos, eu, no primeiro momento, alegrei-me com a sua presença, como se fossem não sei que espécie de libertadores, e quase esqueci que devia parecer ofendido.

Zvierkóv entrou na frente do grupo, evidentemente como chefe. Tanto ele como os demais estavam rindo, mas, vendo-me, empertigou-se, acercou-se de mim sem se apressar, inclinou um pouco o busto com alguma faceirice e me deu a mão, carinhosamente; não muito, mas com certa delicadeza cautelosa, quase de general, como se, dando-me a mão, ele se protegesse de algo. Eu imaginara que, ao contrário, mal entrasse, ele soltaria a mesma gargalhada de outrora, muito aguda, acompanhada de sons esganiçados, e que, logo às primeiras palavras, se ouviriam as suas brincadeiras e gracejos de mau gosto. Eu estava preparado para isso desde a noite anterior, mas, de modo nenhum esperava um tom tão condescendente, tão altamente carinhoso. Considerava-se ele, portanto, imensuravelmente superior a mim, em todos os sentidos? Se apenas quisera ofender-me com aquelas maneiras de general, não tinha importância, pensava eu; de qualquer modo, eu poderia, ainda, cuspir para o lado. Mas que fazer se, realmente, sem qualquer desejo de me ofender, se tivesse esgueirado seriamente para dentro da sua cabeçorra de carneiro a ideiazinha de que ele era imensuravelmente superior a mim e não podia olhar-me de outro modo, a não ser com ares protetores? Só de pensar nisso comecei a sufocar.

— Fiquei surpreendido ao saber do seu desejo de participar do nosso jantar — começou ele, ciciando, sibilando e arrastando as palavras, o que não fazia outrora. — Nunca mais tivemos ocasião de nos encontrar. Você como que se afasta. Não devia fazer isso. Não somos tão terríveis como lhe parecemos. Bem, em todo caso, estou contente de re-i-ni-ci-ar...

E, com ar displicente, virou-se, para colocar o chapéu no parapeito da janela.

— Faz tempo que está esperando? — perguntou Trudoliubov.

— Cheguei às cinco em ponto, conforme ficou marcado ontem — respondi em voz alta e com uma irritação que prometia explosão próxima.

— Mas você não lhe comunicou que mudamos a hora? — dirigiu-se Trudoliubov a Símonov.

— Não comuniquei. Esqueci — respondeu o outro, sem denotar, todavia, qualquer arrependimento; e, deixando mesmo de se desculpar perante mim, foi encomendar os frios.

— Então já faz uma hora que está aqui! Coitado! — exclamou Zvierkóv em tom de mofa, pois, segundo as suas concepções, isto de fato devia ser extremamente engraçado.

Acompanhando-o, o canalha do Fierfítchkin gargalhou com a sua voz ignobilzinha, sonora, igual à de um cachorrinho. Ele também achara a minha situação sobremaneira engraçada e confusa.

— Isto não é nada engraçado! — gritei para Fierfítchkin, cada vez mais irritado. Os culpados são outros, não eu. Desdenharam de me avisar. Isto, isto, isto... é simplesmente um absurdo.

— Não só um absurdo, mas ainda mais — resmungou Trudoliubov, tomando ingenuamente a minha defesa. — Você é demasiado complacente. Foi simplesmente uma indelicadeza. Não intencional, é claro. E como foi que Símonov... hum!

— Se alguém me fizesse isto — observou Fierfítchkin — eu...

Memórias do subsolo

— Você mandaria que lhe servissem algo — interrompeu-o Zvierkóv — ou simplesmente pediria o jantar, sem esperar.

— Convenham que eu poderia ter feito isso sem esperar licença — repliquei abruptamente. — Se esperei, foi...

— Sentemo-nos, senhores — gritou Símonov, que acabava de entrar. — Está tudo pronto; respondo pelo champanhe: ficou admiravelmente gelado... Mas eu não conhecia o seu endereço, onde é que ia procurá-lo? — disse, voltando-se de repente para mim, porém, mais uma vez, como que sem me olhar. Parecia predisposto contra mim. Provavelmente pensara algo, depois do que acontecera na véspera.

Todos se sentaram; sentei-me também. A mesa era redonda. Trudoliubov ficava à minha esquerda, Símonov à direita. Zvierkóv sentou-se em frente; Fierfítchkin a seu lado, entre ele e Trudoliubov.

— Di-i-ga-me, você... trabalha num departamento? — disse Zvierkóv, que continuava a ocupar-se de mim.

Vendo a minha confusão, imaginara seriamente que era preciso acarinhar-me e, por assim dizer, animar. "Será que quer que eu atire nele uma garrafa vazia?", pensei furioso. Por falta de hábito, irritava-me de certo modo fácil e descabidamente.

— Na repartição de... — respondi, com voz sofreada, olhando para dentro do prato.

— E... isto é vantajoso para você? Di-i-ga-me: o que foi que o obri-i-gou a deixar o emprego anterior?

— O que me obri-i-gou foi justamente que eu quis deixar aquele emprego — arrastei eu, três vezes mais longamente, quase não me dominando mais.

Fierfítchkin fungou. Símonov olhou-me com ironia; Trodoliubov parou de comer e se pôs a examinar-me com curiosidade.

Zvierkóv ficou chocado, mas fez que não percebeu.

— Be-e-em, e quanto à sua manutenção?

— Que manutenção?

— Quero dizer, o o-ordenado?

— Mas, está-me arguindo? Por quê?

Aliás, no mesmo instante, eu disse quanto ganhava. Estava ficando terrivelmente vermelho.

— Não é muito — observou Zvierkóv com superioridade.

— Sim, não dá para jantar em cafés e restaurantes — acrescentou com impertinência Fierfítchkin.

— A meu ver, é simplesmente uma miséria — observou Trudoliubov, sério.

— E como você emagreceu... como mudou... desde aquele tempo... — acrescentou Zvierkóv, desta vez não sem veneno, com certa pérfida compaixão, examinando-me, bem como ao meu traje.

— Mas, chega de confundi-lo — exclamou com um risinho Fierfítchkin.

— Prezado senhor, saiba que não estou confuso — explodi finalmente. — Está ouvindo?! Estou jantando aqui, no "café e restaurante", à minha própria custa, e não de alguém mais, observe isto muito bem, *Monsieur* Fierfítchkin.

— Be-em! E quem é que está jantando aqui que não seja à própria custa?... O senhor parece... — acudiu Fierfítchkin, corando como uma lagosta e olhando-me enfurecido nos olhos.

— Disse isto por dizer — respondi, sentindo que avançara muito — e suponho que seria melhor nos ocuparmos com uma conversa mais inteligente.

— Parece que tem a intenção de exibir a sua inteligência?

— Não se preocupe, isto seria aqui absolutamente inoportuno.

— Mas, meu senhor, como foi que perdeu completamente as estribeiras, hem? Não terá perdido de uma vez o juízo, naquele seu *lepartamento*?

— Basta, senhores, basta! — gritou Zvierkóv, com ar senhoril.

— Como isto é estúpido! — grunhiu Símonov.

— De fato, é estúpido; nós nos reunimos num grupo de amigos para nos despedirmos de um bom companheiro que parte em viagem, e o senhor está aqui ajustando contas — disse Trudoliubov, dirigindo-se grosseiramente a mim. — Foi o senhor mesmo que pediu ontem para fazer parte do grupo; não atrapalhe, portanto, a harmonia geral...

— Chega, chega! — gritava Zvierkóv. — Parem, senhores, isto não está bem. É melhor contar-lhes como eu quase me casei trasanteontem...

E então começou certa pasquinada sobre como aquele cavalheiro quase se casara três dias antes. Aliás, não disse palavra sobre o casamento em si, mas em seu relato apareciam a todo momento generais, coronéis e, mesmo, *camer-iúnkeres*,[38] e Zvierkóv quase à testa deles. Começou um riso aprobatório; Fierfítchkin soltava até gritinhos esganiçados.

Todos me abandonaram, eu estava esmagado, destruído.

"Meu Deus, será isto companhia para mim?!", pensava. "E que imbecil me mostrei diante deles! Permiti que Fierfítchkin me ofendesse demais. Os cretinos estão pensando que me fizeram uma honra dando-me um lugar à mesa, mas não compreendem que eu é que lhes concedo essa honra! Emagreceu! A roupa! Oh, malditas calças! Ainda há pouco, Zvierkóv notou a mancha amarela sobre o joelho... Mas, que esperar?! Devo levantar-me da mesa, agora mesmo, apanhar o chapéu e ir embora, simplesmente, sem dizer palavra... Por desprezo! E amanhã nem que seja preciso um duelo. Canalhas. Não são os sete rublos. Diabo! Não lamento sete rublos. Vou-me embora neste instante!..."

Fiquei, naturalmente.

---

[38] Cargo áulico, junto à corte imperial russa, e que era imediatamente inferior ao de *camerguier* (este correspondia aproximadamente ao de gentil-homem da Câmara Real). (N. do T.)

De desgosto, bebia *Laffitte* e xerez aos copos. Por falta de hábito, estava-me embriagando depressa, e, com a embriaguez, crescia-me também o despeito. De repente, tive vontade de ofendê-los do modo mais atrevido e, depois, ir embora. Aproveitar o momento e mostrar quem sou; que digam: "É ridículo, mas inteligente...". E... e... numa palavra, diabo que os carregue!

Examinei-os todos com insolência, os olhos enevoados. Pareciam ter-me esquecido de todo. O ambiente *deles* estava barulhento, gritante, alegre. Era sempre Zvierkóv quem falava. Prestei atenção. Zvierkóv falava de certa magnífica senhora que ele acabara levando a fazer-lhe uma declaração (naturalmente, estava mentindo como um cavalo), no que fora particularmente ajudado por seu amigo íntimo, certo principezinho, o hussardo Kólia, dono de três mil almas.

— E, no entanto, esse Kólia, que possui três mil almas, não está aqui para se despedir de você — intrometi-me de repente na conversa.

Por um instante todos se calaram.

— Agora você já está bêbado — disse Trudoliubov, dignando-se, finalmente, a notar a minha presença e olhando-me de viés, desdenhoso. Zvierkóv examinava-me calado, como se eu fosse algum bicharoco. Baixei os olhos. Símonov começou, o quanto antes, a encher as taças de champanhe.

Trudoliubov ergueu a sua, no que foi acompanhado por todos com exceção de mim.

— À tua saúde, e boa viagem! — gritou para Zvierkóv.
— Pelos tempos de outrora, senhores, pelo nosso futuro, urra!

Todos beberam e se arrastaram para beijar Zvierkóv. Não me movi do lugar; tinha diante de mim a taça cheia. Intocada.

— Mas, não vai beber? — urrou Trudoliubov, perdendo a paciência e dirigindo-se a mim com severidade.

— Eu quero pronunciar meu próprio *speach* separadamente... e então beberei, sr. Trudoliubov.

— O nojo que dá este rabugento! — resmoneou Símonov. Endireitei-me na cadeira e apanhei a taça. Estava febril e preparava-me para algo extraordinário, mas eu próprio ainda não sabia bem o que ia dizer.

— *Silence*! — gritou Fierfítchkin. — Aí vem coisa inteligente!

Zvierkóv aguardava, muito sério, compreendendo do que se tratava.

— Sr. Tenente Zvierkóv — comecei —, saiba que detesto as frases, os fraseadores e as cinturas apertadas... Este é o primeiro ponto, e agora vem o segundo. — Todos ficaram muito agitados. — Ponto número dois: detesto a bajulação e os bajuladores. Sobretudo os bajuladores! Ponto número três: amo a verdade, a franqueza e a honradez — prossegui quase maquinalmente, porque eu mesmo estava ficando gelado de horror, não compreendendo como ousava falar daquele modo... — Amo o pensamento, *Monsieur* Zvierkóv; amo a camaradagem de verdade, de igual para igual, e não... hum... Amo... Aliás, por que não? Eu também vou beber à sua saúde, *Monsieur* Zvierkóv. Seduza circassianas, atire nos inimigos da pátria[39] e... e... À sua saúde, *Monsieur* Zvierkóv!

Zvierkóv levantou-se da cadeira, inclinou-se em minha direção e disse:

— Fico muito grato.

Estava terrivelmente ofendido e até empalidecera.

— Com os diabos! — urrou Trudoliubov, batendo na mesa com o punho.

— Não, merece que lhe quebrem a cara! — ganiu Fierfítchkin.

É preciso expulsá-lo daqui! — resmungou Símonov.

— Nem uma palavra, senhores, nem um gesto! — gritou solenemente Zvierkóv, reprimindo a indignação geral. —

---

[39] Alusão a lutas pelo domínio completo do Cáucaso. (N. do T.)

Agradeço a todos, mas eu mesmo saberei demonstrar-lhe como aprecio as suas palavras.

— Sr. Fierfítchkin, amanhã mesmo há de me dar uma satisfação pelas suas palavras de há pouco! — disse eu alto, dirigindo-me com altivez a Fierfítchkin.

— Isto é um duelo? Pois não — respondeu o outro; mas, provavelmente, eu estava tão ridículo, provocando-o para um duelo, e isso contrastava a tal ponto com a minha figura que todos, inclusive o próprio Fierfítchkin, quase se deitaram de tanto rir.

— Vamos deixá-lo, está claro! Está completamente bêbado! — disse com repugnância Trudoliubov.

— Nunca me perdoarei por tê-lo incluído no grupo! — resmungou novamente Símonov.

"Agora, seria bom jogar uma garrafa contra todos eles", pensei; apanhei a garrafa e... enchi a minha taça até os bordos.

"... Não, é melhor eu permanecer sentado aqui até o fim!", prossegui nos meus pensamentos. "Ficaríeis satisfeitos se eu fosse embora, senhores. Por nada deste mundo! Ficarei aqui sentado, de propósito, e beberei até o fim, em sinal de que não lhes atribuo a menor importância. Ficarei sentado, bebendo, porque isto aqui é um botequim e eu paguei a entrada. Permanecerei sentado, bebendo, porque os considero uns peões de xadrez, uns peões inexistentes. Ficarei sentado, bebendo... e cantarei, se quiser, sim, porque tenho este direito... de cantar... hum..."

Não cantei, porém. Esforcei-me apenas em não olhar para nenhum deles; assumia as atitudes mais independentes e esperava com impaciência que eles fossem os *primeiros* a dirigir-me a palavra. Infelizmente, eles não começaram. E como eu gostaria, como gostaria de fazer com eles as pazes nesse momento! Bateram as oito, finalmente as nove. Eles se transferiram para o divã. Zvierkóv estendeu-se, colocando o pé sobre uma mesinha redonda. O vinho também foi transportado para lá. Ele mandou de fato servir três garrafas por sua conta. Naturalmente, não fui convidado. Todos se sentaram à sua volta, no divã. Ouviam-no quase com veneração. Via-se que gostavam dele. "Por quê? Por quê?", pensei no íntimo. De raro em raro, atingiam um transporte de ébrios e se beijavam. Falavam do Cáucaso, do que é uma paixão autêntica, de *gálbik*,[40] de cargos vantajosos; das rendas do hussardo Podkharjévski, que nenhum deles conhecia pessoalmente, embora se alegrassem todos com o fato de que ele tivesse rendas elevadas; da extraordinária beleza e graça da Princesa D..., que, igualmente, nenhum deles jamais vira; finalmente, chegaram ao tema da imortalidade de Shakespeare.

Eu sorria com desdém e fiquei andando do outro lado da sala, ao longo da parede, bem em frente ao divã, fazendo o percurso da mesa à lareira e vice-versa. Queria mostrar, com todas as minhas forças, que podia passar sem eles; no entanto, batia, de propósito, com as botas no chão, apoiando-me nos saltos. Mas tudo em vão. *Eles* não me dispensavam absolutamente qualquer atenção. Tive a pachorra de ficar andando assim, bem diante deles, das oito às onze, sempre no mesmo lugar, da mesa à lareira e da lareira de volta à mesa. "Estou andando assim, e ninguém me pode proibir de fazer isso." O garçom que entrava na sala deteve-se algumas vezes para me olhar; girava-me a cabeça, por causa das viradas frequentes; por instantes, tinha a impressão de estar delirando. Nessas três horas, três vezes fiquei suado e três vezes tornei a ficar enxuto. De quando em quando cravava-se em mim, com dor profunda, venenosa, um pensamento: passariam dez, vinte, quarenta anos, e eu, mesmo decorridos quarenta anos, haveria de lembrar com humilhação e repugnância estes momentos, os mais imundos, ridículos e terríveis de toda a minha vida. Era impossível rebaixar-me de modo mais desonesto e deliberado. Eu compreendia isto perfeitamente, mas assim mesmo continuava a caminhar

[40] Jogo de cartas em voga na época. (N. do T.)

da mesa à lareira e vice-versa. "Oh, se ao menos soubessem de que sentimentos e ideias sou capaz e como sou culto!", pensava por instantes, dirigindo-me, mentalmente, ao divã, onde estavam sentados os meus inimigos. Mas os meus inimigos comportavam-se como se eu nem estivesse na sala. Uma vez, uma única vez, voltaram-se na minha direção, justamente quando Zvierkóv se pôs a falar de Shakespeare, e eu soltei de repente, com desprezo, uma gargalhada. Fi-lo de modo tão falso e feio que eles interromperam simultaneamente a conversa e puseram-se a observar em silêncio, durante uns dois minutos, sérios, sem rir, a minha caminhada ao longo da parede, da mesa à lareira, e como eu *não lhes prestava nenhuma atenção*. Mas nada resultou daquilo: não disseram palavra e, dois minutos depois, novamente me deixaram de lado. Bateram as onze.

— Senhores — gritou Zvierkóv, erguendo-se do divã — agora, todos para *lá*.

— Naturalmente, naturalmente! — replicaram os demais.

Voltei-me abruptamente para Zvierkóv. Achava-me a tal ponto atormentado, a tal ponto ferido, que precisava terminar tudo, nem que tivesse de me apunhalar! Estava febril; os cabelos, molhados de suor, grudaram-se à minha testa e às têmporas.

— Zvierkóv! Peço-lhe perdão — disse, decidida e abruptamente. — E ao senhor também, Fierfítchkin; a todos, a todos, eu ofendi a todos!

— Aí, hem! Um duelo não lhe agrada muito — ciciou com veneno Fierfítchkin.

Senti algo cortar-me dolorosamente o coração.

— Não, não é o duelo que eu temo, Fierfítchkin! Estou pronto a lutar com o senhor, amanhã mesmo, depois das pazes. Insisto nisso até, e o senhor não me pode negá-lo. Quero demonstrar-lhe que não temo o duelo. O senhor será o primeiro a atirar, e eu atirarei para o ar.

— Está simplesmente se divertindo — observou Símonov.

— Ele perdeu a tramontana! — replicou Trudoliubov.

Memórias do subsolo

— Mas deixe-me passar, por que se atravessou no caminho?!... Ora, que deseja? — replicou desdenhosamente Zvierkóv.

Estavam todos vermelhos; brilhavam-lhes os olhos: haviam bebido muito.

— Peço-lhe a sua amizade, Zvierkóv, eu o ofendi, mas...

— Ofendeu? O senho-or! A mi-im! Saiba, prezado senhor, que nunca nem em circunstância alguma o senhor *me* pode ofender!

— E basta da sua presença, fora daqui! — reforçou Trudoliubov. — Vamos!

— A Olímpia é minha, senhores, está combinado! — gritou Zvierkóv.

— Não discutimos! Não discutimos! — responderam-lhe rindo.

Eu estava ali, coberto de escarros. O bando estava deixando ruidosamente a sala, Trudoliubov entoou certa canção estúpida. Símonov deteve-se por um curto instante, para dar gorjeta aos garçons. De repente, aproximei-me dele.

— Símonov, dê-me seis rublos! — disse eu, decidido, e num tom desesperado.

Ele me olhou extremamente surpreendido, os olhos embotados. Também estava embriagado.

— Mas também vai para *lá*, conosco?

— Sim!

— Não tenho dinheiro! — respondeu bruscamente com um sorriso de desdém. E saiu da sala.

Agarrei-o pelo capote. Era um pesadelo.

— Símonov! Eu vi que tem dinheiro. Por que me recusa? Sou algum canalha? Cuidado em não me recusar isto! Se soubesse, se soubesse para que estou pedindo! Disso depende tudo, todo o meu futuro, todos os meus projetos...

Símonov tirou o dinheiro e quase o atirou contra mim.

— Tome, se é tão sem consciência! — disse, impiedosamente, e correu a alcançar os demais.

Fiquei um instante sozinho. Desordem, restos de comida, um cálice quebrado no chão, vinho derramado, pontas de cigarro, embriaguez e confusão na cabeça, uma angústia torturante no coração e, finalmente, o garçom, que tudo vira e ouvira e me espiava com olhar curioso.

— Para *lá*! — exclamei. — Ou eles todos vão implorar a minha amizade, de joelhos, abraçando as minhas pernas, ou... ou hei de esbofetear Zvierkóv!

V

"Aí está, aí está finalmente o choque com a realidade", balbuciava eu, precipitando-me escada abaixo. "Isto, naturalmente, não é mais o papa que deixa Roma e parte para o Brasil; não é mais o baile junto ao lago de Como!"

"És um canalha", passou-me pela mente, "se estás rindo disso agora!".

"Seja!", gritei, respondendo a mim mesmo. "Agora tudo já levou a breca!"

Não havia sinal deles sequer; mas era o mesmo: eu sabia aonde tinham ido.

Junto à entrada, estava parado um cocheiro noturno, solitário, com traje aldeão, todo polvilhado de neve molhada, que não cessava de cair e que parecia quente. O ar estava abafado, fazia suar. O cavalinho pequeno, guedelhudo, malhado, também estava polvilhado de neve e tossia; lembro-me disso muito bem. Atirei-me ao trenó de madeira; mal levantei, porém, a perna para me sentar, a lembrança de como, havia pouco, Símonov me dera seis rublos pareceu ceifar-me de vez, e me deixei cair no trenó como um fardo.

— Não! É preciso fazer muito para resgatar tudo isto! — exclamei. — Mas ou eu hei de resgatar ou, nesta mesma noite, morrerei fulminado. Anda!

Partimos. Havia todo um turbilhão na minha cabeça.

"Eles não vão implorar a minha amizade de joelhos. É miragem, uma miragem vulgar, repugnante, romântica e fantástica; é sempre o mesmo baile à beira do lago de Como. E por isto *devo* esbofetear Zvierkóv! Sou obrigado a isto. Portanto, está resolvido; estou voando para lhe dar o bofetão. Mais depressa!"

O cocheiro sacudiu as rédeas.

"Darei o bofetão logo que entrar. Será preciso dizer, antes do bofetão, algumas palavras, à guisa de introdução? Não! Simplesmente vou entrar e esbofeteá-lo. Todos estarão sentados na sala; ele estará no divã, com Olímpia. Maldita Olímpia! Certa vez, riu do meu rosto e recusou-se a me acompanhar. Vou puxar Olímpia pelos cabelos e Zvierkóv pelas orelhas! Não, será melhor puxá-lo por uma orelha só e fazê-lo andar assim por toda a sala. É possível que eles todos se ponham a bater em mim e me expulsem dali. É certo até. Seja! Mesmo assim, terei sido o primeiro a dar o bofetão: terá sido minha a iniciativa; e, pelas leis da honra, isto é tudo; ele já estará marcado e não lavará de si o bofetão com nenhuma pancada, mas apenas com um duelo. Terá que lutar. Não faz mal que eles me batam. Seja, gente vil! Trudoliubov vai bater mais que os outros: ele é tão forte! Fierfítchkin vai me agarrar de lado, e, com toda certeza, pelos cabelos. Mas seja, seja! Estou decidido. Aquelas cabeçorras de carneiro serão obrigadas a perceber, finalmente, o trágico de tudo isto! Quando eles me arrastarem para a porta, vou gritar-lhes que, na realidade, não valem o meu dedo mínimo."

— Mais depressa, cocheiro, mais depressa! — gritei. O cocheiro até estremeceu e agitou o chicote. Eu gritara de modo completamente selvagem.

"Lutaremos de madrugada, está resolvido. Quanto ao departamento, fica tudo liquidado. Fierfítchkin disse *lepartamento*, em lugar de departamento. Mas onde arranjar as pistolas? Tolice! Vou pedir um adiantamento sobre o ordenado, para comprá-las. E a pólvora, e as balas? Isto compete ao padrinho. E como arranjar tempo para providenciar tudo isto até o amanhecer? E onde arranjar um padrinho? Não tenho conhecidos..."

— Tolice! — gritei, agitando-me ainda mais. — Tolice!

"O primeiro transeunte a quem eu me dirigir na rua terá obrigação de ser meu padrinho; o caso é idêntico ao de um afogado que é preciso retirar da água. Devem ser admitidas até as soluções mais excêntricas. E, mesmo que eu amanhã pedisse ao próprio diretor para ser meu padrinho, ele teria que concordar, por simples sentimento cavalheiresco, e deveria manter segredo! Antón Antônitch..."

O caso é que, no mesmo instante, eu percebia, do modo mais vivo e nítido que qualquer outra pessoa no mundo, todo o ignóbil absurdo das minhas suposições e todo o reverso da medalha; mas...

— Anda, cocheiro! Anda, vagabundo, anda!

— Eh, patrão! — disse a força aldeã.

De repente, percorreu-me o corpo um frio gélido.

"Mas não seria melhor... não seria melhor... ir agora diretamente para casa? Oh, meu Deus! Por que, por que me ofereci ontem para tomar parte nesse jantar? Mas não, é impossível! E aquele passeio de três horas, da mesa à lareira? Não, eles — eles e ninguém mais — devem ajustar contas comigo por causa daquele passeio! Terão que lavar esta desonra!"

— Anda!

"E se eles me mandarem para o distrito policial?! Não vão atrever-se? Terão medo do escândalo. E se Zvierkóv, por desprezo, recusar-se ao duelo? Isto é certo até; mas, então, vou demonstrar-lhes... Nesse caso, corro à estação da posta, amanhã, quando ele estiver partindo de viagem, agarro-o pelo pé e arranco-lhe o capote, no momento de sua subida para o carro. Vou ferrar-lhe os dentes no braço, mordê-lo. 'Vejam todos a que ponto um homem pode ser levado ao desespero!' Pode ser que ele me bata na cabeça e que todos eles estejam atrás. Gritarei para todos os presentes: 'Vejam, aí está o fe-

Memórias do subsolo   99

delho que parte para seduzir circassianas, com o meu escarro no rosto!'"

"Naturalmente, depois disso, tudo estará acabado! O departamento terá sumido da face da terra. Vão me agarrar e processar, serei expulso do emprego, encerrado numa prisão, deportado para a Sibéria, em residência forçada. Não tem importância! Daqui a quinze anos, libertado da prisão, mendigo e maltrapilho, vou arrastar-me atrás dele. Vou encontrá-lo em alguma capital de província. Estará casado e feliz. Terá uma filha adulta... Direi: 'Olha, monstro, as minhas faces encovadas e os meus farrapos! Perdi tudo: a carreira, a felicidade, a arte, a ciência, a *mulher amada*. E tudo por tua causa. Aqui estão as pistolas. Vim descarregar a minha pistola e... perdoo-te.' Nesse momento, atirarei para o ar, e ninguém mais ouvirá falar de mim..."

Cheguei até a chorar, embora soubesse com toda a exatidão, naquele mesmo instante, que tudo aquilo se baseava em Sílvio,[41] e na *Mascarada*[42] de Liérmontov. E de repente senti uma vergonha terrível a tal ponto que fiz parar o cavalo, desci do trenó e me detive na neve, no meio da rua. O cocheiro me olhava surpreso e suspirando.

O que fazer? Não se podia mesmo ir para lá: era um absurdo. E não se podia também abandonar o caso, porque ia sair... "Meu Deus! Como se poderá abandonar isto? E depois de semelhantes ofensas!"

— Não! exclamei, atirando-me novamente no trenó. — Está predestinado, é o destino! Toca, toca para lá!

E, impaciente, bati com o punho na nuca do cocheiro.

— Mas que é isto, por que estás brigando? — gritou o mujiquezinho, fustigando, no entanto, o rocim, que até começou a escoicear com as patas traseiras.

---

[41] Personagem de "O tiro", conto de Púchkin. (N. do T.)

[42] Drama de Liérmontov. (N. do T.)

A neve molhada caía aos flocos; desabotoei o capote, não podia pensar na neve. Esquecera tudo o mais, porque me decidira definitivamente à bofetada e sentia, horrorizado, que isto de fato ia acontecer *impreterivelmente naquele momento*, e que *nenhuma força poderia me deter*. Os lampiões desertos surgiam taciturnos, na bruma nevada, como archotes num enterro. A neve acumulara-se sob o meu casaco, sob o redingote, sob a gravata, e se derretia ali, e eu não me resguardava: de qualquer modo, estava tudo perdido! Finalmente, chegamos. Saí correndo, quase desmemoriado, subi os degraus e me pus a bater com pés e mãos na porta. Sentia sobretudo que os meus joelhos estavam enfraquecendo terrivelmente. Abriram logo: era como se estivessem esperando a minha chegada. (Símonov realmente dissera que, possivelmente, viria mais um e ali era preciso avisar e, de modo geral, tomar toda espécie de precaução. Era uma daquelas "lojas de modas" que há muito já foram eliminadas pela polícia. De dia, funcionava realmente como loja; mas, de noite, podiam ir lá pessoas recomendadas.) Atravessei, a passos rápidos, uma loja escura e penetrei na sala que já conhecia, onde ardia uma única vela, e parei perplexo: não havia ninguém.

— Onde estão eles? — perguntei a alguém. Mas, segundo parecia, já tinham ido embora...

Estava diante de mim uma personagem de sorriso estúpido, a própria patroa, que já me conhecia um pouco. Um instante depois, abriu-se uma porta e entrou outra personagem.

Eu caminhava pela sala, sem dar atenção a nada, e, ao que parece, falava comigo mesmo. Era como se tivesse sido salvo da morte e alegremente pressentisse, com todo o meu ser, o seguinte: eu daria mesmo a bofetada, sem dúvida, sem dúvida! Mas, agora, eles não estavam ali e... tudo desaparecera, tudo se modificara!... Eu olhava em torno. Não podia ainda compreender. Maquinalmente, lancei um olhar para a moça que entrara: entrevi um rosto fresco, jovem, um tanto pálido, de sobrancelhas retas, escuras, olhar sério e como que

Memórias do subsolo

101

um tanto surpreso. Isto me agradou no mesmo instante; eu a odiaria se ela tivesse sorrido. Pus-me a olhá-la mais fixamente, com certo esforço: ainda não tinha conseguido concentrar meus pensamentos. Havia naquele rosto algo de singelo e bondoso, mas que parecia estranhamente sério. Estou certo de que aquilo a prejudicava ali e que nenhum daqueles imbecis a notara. Aliás, não se poderia chamá-la de beldade, embora fosse de estatura elevada, forte e bem-proporcionada. Vestia-se com extrema simplicidade. Algo mau me mordeu e aproximei-me muito dela...

Por acaso olhei-me num espelho. O meu rosto transtornado pareceu-me extremamente repulsivo: pálido, mau, ignóbil, cabelos revoltos. "Seja, fico satisfeito", pensei. "Estou justamente satisfeito de lhe parecer repugnante; isto me agrada..."

VI

... Alhures, atrás de um tabique, como que submetido a uma forte pressão, ou como alguém que estivesse sendo esganado, rouquejou um relógio. Depois de um rouquejar prolongado e pouco natural, houve um bater fininho, feinho e surpreendentemente rápido: era como se alguém tivesse saltado para a frente. Bateram as duas. Voltei a mim, embora não estivesse dormindo, mas apenas deitado em modorra.

O quarto estreito, apertado e baixo, atravancado por um enorme guarda-roupa e repleto de caixas de papelão, trapos e toda espécie de retalhos, estava quase às escuras. O toco de vela que ardia sobre a mesa, na outra extremidade do quarto, já se extinguia e, de quando em quando, a chama estremecia ligeiramente. Alguns instantes depois, seria a treva completa.

Dei acordo de mim rapidamente; sem esforço, lembrei-me de tudo no mesmo instante, como se as recordações tivessem estado à minha espreita para se atirar novamente sobre mim. E, mesmo em meu alheamento, algo persistiu em mim, uma espécie de ponto que eu não conseguia esquecer e em torno do qual os meus sonhos giravam pesadamente. Mas era estranho: tudo o que me acontecera naquele dia parecia-me agora, ao acordar, ter ocorrido há muito tempo, como coisa já vivida por mim muitos anos antes.

Tinha uma fumaceira na cabeça. Algo parecia pairar sobre mim, tocar-me, excitar-me, infundir-me intranquilidade. A angústia e a bílis ferviam novamente e buscavam saída. De repente vi, a meu lado, dois olhos abertos que me examinavam curiosa e fixamente. O olhar era frio, indiferente, taciturno, muito estranho; dava uma sensação penosa.

Um pensamento sombrio nasceu-me no cérebro e passou-me por todo o corpo, sob a forma de certa sensação desagradável, semelhante à que se tem ao entrar num subterrâneo úmido e abafado. Era, de certo modo, pouco natural que, justamente, apenas naquele momento, aqueles dois olhos tivessem decidido começar a examinar-me. Lembrei-me também de que, no decorrer de duas horas, eu não trocara uma palavra sequer com aquela criatura e de que não considerara isto de modo algum necessário; pouco antes a coisa me parecia até, por algum motivo, agradável. Agora, porém, surgira-me de repente com vivacidade a ideia absurda, repugnante como uma aranha, da devassidão que, sem amor, grosseira e desavergonhadamente, começa direto por aquilo com que o verdadeiro amor é coroado. Passamos assim muito tempo a olhar um para o outro; ela, todavia, não baixava os olhos diante dos meus nem seu olhar mudava de expressão, e, por fim, tive, não sei por que, um sentimento de pavor.

— Como se chama? — perguntei lacônico, procurando acabar o quanto antes com aquilo.

— Liza — respondeu quase num sussurro, mas de modo nada cordial e afastando o olhar.

Passei algum tempo calado.

— O tempo hoje... neva... está feio! — disse eu quase para

mim mesmo, pondo com expressão angustiada a mão sob a nuca e olhando o teto.

Não respondeu. Tudo aquilo era monstruoso.

— Você é daqui? — perguntei um instante depois, quase fora de mim, voltando ligeiramente a cabeça na sua direção.

— Não.

— De onde?

— De Riga — respondeu, contrafeita.

— Alemã?

— Russa.

— Está há muito tempo aqui?

— Onde?

— Nesta casa.

— Duas semanas.

Ela falava cada vez mais laconicamente. A vela apagara-se e eu não podia mais distinguir-lhe o rosto.

— Tem pai e mãe?

— Sim... não... tenho.

— Onde estão?

— Lá... em Riga.

— Quem são?

— Assim...

— Assim, como? Quem são? Qual a sua condição?

— Pequenos-burgueses.

— Viveu sempre com eles?

— Sim.

— Quantos anos tem?

— Vinte.

— Por que os deixou?

— Assim...

Aquele *assim* significava: deixe-me, está me aborrecendo. Calamo-nos.

Sabe Deus por que eu não ia embora. Eu próprio me sentia cada vez mais aborrecido e angustiado. As imagens do dia anterior começaram a vir-me à memória, como que por si, sem a minha vontade, em desordem. De repente, lembrei-me de uma cena, que vira na rua de manhã, quando, preocupado, apressava o passo para a repartição.

— Hoje quase deixaram cair um caixão quando o carregavam — disse eu de chofre, não desejando iniciar conversa, e quase sem querer.

— Um caixão de defunto?

— Sim, na Siênaia; estava sendo retirado de um porão.

— De um porão?

— Aliás, não era bem um porão, mas um andar térreo bem baixo... Bem, você compreende... lá embaixo... numa casa de má reputação... Em volta, havia tanta lama!... Cascas, lixo... cheirava... era ruim. — Silêncio. — É ruim enterrar alguém hoje! — comecei de novo, apenas para não me calar.

— Ruim por quê?

— A neve, a umidade... (Bocejei.)

— Tanto faz — disse ela de repente, depois de algum silêncio.

— Não, é horrível... (Tornei a bocejar.) Os coveiros certamente deviam estar xingando por causa da neve molhada. E na cova, provavelmente, havia água.

— Água na cova, por quê? — perguntou ela com certa curiosidade, mas pronunciando as palavras de modo ainda mais rude e lacônico.

De repente, algo começou a me espicaçar.

— E por que não? Água no fundo, uns seis *vierchokes* de água. Em Vólkovo não se consegue abrir uma cova no seco.

— Por quê?

— Como, por quê? É um lugar tão úmido. Ali é um pântano em toda a parte. Eles depositam os corpos assim mesmo, na água. Eu mesmo vi... muitas vezes... (Eu nunca vira tal coisa nem jamais estivera em Vólkovo, ouvira apenas contar.) Será possível que para você tanto faz? Falo da morte.

— Mas por que hei de morrer? — respondeu ela, como que se defendendo.

Memórias do subsolo

— Algum dia você morrerá, e morrerá que nem a defunta de hoje. Ela era... também uma moça... Morreu tísica.

— Uma rapariga terá morrido no hospital... (Ela já sabe — pensei — e disse: "rapariga", e não "moça".)

— Ela devia à patroa — repliquei, cada vez mais espicaçado pela discussão — e lhe prestou serviços quase até o fim, embora estivesse tísica. Os cocheiros todos comentaram isto com os soldados. Deviam ser seus conhecidos. Riam. Pretendiam beber à memória dela no botequim.[43] (Também nesta passagem eu acrescentara muitos pormenores inventados.)

Silêncio, um silêncio profundo. Ela não se movia sequer.

— Mas será melhor morrer no hospital?

— Não será a mesma coisa?... Mas por que vou eu morrer? — acrescentou irritada.

— Agora não; e mais tarde?

— Mais tarde, sim...

— E então?! Agora, você é jovem, bonita, viçosa, e por isto obtém um bom preço. Mas, depois de um ano desta vida, não será a mesma, vai murchar.

— Depois de um ano?

— Em todo o caso, daqui a um ano o seu preço vai cair — prossegui com perversidade. — Vai passar daqui para alguma parte mais baixa, para uma outra casa. Depois de um ano mais, irá para uma terceira, cada vez mais baixo, e, daqui a uns sete anos, terá chegado à Siênaia, a um porão. E assim ainda seria bom. A desgraça será se, além disto, aparecer-lhe alguma doença, bem, digamos uma fraqueza do peito... se você apanhar um resfriado ou alguma coisa no gênero. Com a vida que vocês levam é difícil curar uma doença. Se ela se agarrar a você, poderá não largá-la mais. E então você vai morrer.

---

[43] É tradição, na Rússia, beber à memória dos recém-falecidos. (N. do T.)

— Bem, morrerei então — respondeu num tom já de todo rancoroso, e seu corpo teve um estremecimento rápido.

— Mas dá pena.

— Quem?

— Dá pena, a vida. — Silêncio.

— Você teve um noivo? Hem?

— Para que precisa saber?

— Não estou interrogando você. Que me importa? Por que fica zangada? Naturalmente, você pode ter passado dias difíceis. Que me importa? Mas tenho pena.

— De quem?

— Você me dá pena.

— Não precisa... — murmurou quase imperceptivelmente e tornou a estremecer.

Aquilo me irritou no mesmo instante. Como?! Eu lhe falara tão docemente, e ela...

— Mas o que pensa você? Que está no bom caminho, hem?

— Não penso nada.

— O ruim justamente é que você não pensa. Volte a si, enquanto é tempo. Pois ainda há tempo. Você é jovem ainda, e bonita; poderia amar alguém, casar-se, ser feliz...

— Nem todas as casadas são felizes — retrucou ela, no mesmo tom rápido e grosseiro de antes.

— Nem todas, naturalmente, mas, de qualquer modo, é muito melhor que aqui. Melhor de verdade. E, havendo amor, pode-se viver, mesmo sem felicidade. Até na aflição a vida é boa. É bom viver no mundo, ainda que se viva seja lá como for. E aqui, o que se tem, além de... mau cheiro? Irra!

Voltei-me com repugnância; não argumentava mais friamente. Eu mesmo começava a sentir aquilo que dizia, e me agitava. Ansiava já por expor minhas *ideiazinhas* secretas, cultivadas num canto. De súbito, algo se inflamou em mim, "apareceu" não sei que objetivo.

— Não repare no fato de eu estar aqui, não sirvo de

Memórias do subsolo

107

exemplo. Talvez eu seja ainda pior que você. Aliás, cheguei aqui bêbado — apressei-me, no entanto, a justificar-me. — Ademais, um homem, de modo nenhum, é exemplo para uma mulher. Os casos são diferentes; embora eu me emporcalhe todo, aqui não sou escravo de ninguém; fico num lugar, depois vou embora, desapareço. Sacudo a roupa e sou já um outro homem. Quanto a você, começa como escrava. Sim, escrava! Você entrega tudo, toda a vontade. E depois há de querer romper esta corrente, mas não é mais possível: ela irá emaranhá-la, cada vez com mais força. Assim é esta maldita corrente. Eu a conheço. Agora não falo de outras coisas. Talvez você nem me compreendesse. Mas, diga-me: certamente, você já tem dívida com a patroa? Bem vê! — acrescentei, embora ela não me tivesse respondido, mas apenas ouvisse em silêncio, com todo o seu ser. — Aí tem você: isto é que é uma corrente! Você nunca mais há de comprar a sua liberdade. Assim tem de ser. É o mesmo que vender a alma ao diabo...

E além disso eu... que sabe você?... talvez seja também assim infeliz e me meta de propósito na lama, igualmente por angústia. Uns bebem por aflição. Pois bem, eu estou aqui por aflição. Ora, diga-me, isso está bem? Eu e você... nos unimos... ainda há pouco, e nem uma palavra dissemos um ao outro, e, depois, você ficou a examinar-me como uma selvagem; e eu a você, também. É assim que se ama? É assim que uma pessoa deve unir-se a outra? Isto é simplesmente uma indecência, aí é que está!

— Sim! — aprovou ela abrupta e apressadamente.

Surpreendeu-me até a pressa com que foi proferido aquele *sim*. Quereria isto dizer que tinha a mesma ideia a fermentar-lhe na cabeça quando, há pouco, me examinara? Também ela já era talvez capaz de certos pensamentos?... "Com os diabos, isto é interessante. Já é *intimidade*!", pensei quase esfregando as mãos. "E por que não chegar às boas, se se tem pela frente uma alma tão jovem?..."

108   Fiódor Dostoiévski

O que mais me absorvia era o jogo.

Ela voltou a cabeça, colocando-a mais perto de mim, e — tive no escuro esta impressão — apoiou-a no braço. Talvez me examinasse. Como lamentei não poder ver-lhe os olhos! Ouvia-lhe a respiração profunda.

— Para que veio você para cá? — comecei, já com algum poder sobre ela.

— Assim...

— Mas como seria bom viver na casa paterna! Quentura, liberdade, o seu próprio ninho.

— E se for pior que isto?

"É preciso acertar o tom", disse de mim para mim. "Com sentimentalismo talvez não se consiga muita coisa."

Aliás, este pensamento apenas me passou na mente. Juro que me interessei por ela, de verdade. Além disso, eu estava de certo modo enfraquecido e indisposto. E o embuste combina bem facilmente com o sentimento.

— Quem nega isto?! — apressei-me a responder. — Tudo acontece. Estou plenamente convencido de que você foi ofendida por alguém, e de que os outros é que são culpados para com você e não você para *com eles*. É verdade que não sei nada da sua vida, mas uma moça como você, com certeza, não vem parar aqui por sua livre vontade...

— E que espécie de moça sou eu? — murmurou ela quase imperceptivelmente, mas eu ouvi.

"Com os diabos, procuro lisonjeá-la. Isto é horrível. Ou talvez seja bom..." Ela permanecia calada.

— Sabe, Liza? Vou falar de mim! Se eu tivesse família, desde criança, não seria como sou agora. Penso nisto com frequência. De fato, por pior que possa ser a vida em família, tem-se pai e mãe e não gente estranha, inimiga. Pelo menos uma vez por ano, vão expressar o seu amor por você. Apesar de tudo, você sabe que está em casa. Eu cresci sem família; por isso, talvez tenha saído assim... insensível.

Esperei mais um pouco.

Memórias do subsolo

"Talvez ela nem esteja compreendendo isto", pensei, "que é, ademais, ridículo: a moral".

— Se eu fosse pai e tivesse uma filha, creio que amaria mais a filha do que os filhos; estou certo disso — comecei, num rodeio, como que puxando outro assunto para distraí-la. Confesso que estava corando.

— Por que isso? — perguntou.

Quer dizer que me ouvia!

— Assim... Não sei, Liza. Veja uma coisa: conheci um pai que era um homem severo, rigoroso. Diante da filha, porém, punha-se de joelhos, beijava-lhe as mãos e os pés, não se cansava de admirá-la. É verdade. Se ela dançava num baile, ele passava cinco horas no mesmo lugar, não tirando dela os olhos. Era doido por ela. E eu compreendo isto. De noite, cansada, ela adormecia. E ele acordava e ia beijá-la durante o sono, e fazer sobre ela o sinal da cruz. Era avarento para com os outros, e ele próprio usava um redingotezinho sebento. Para ela, porém, gastava até o último níquel; fazia-lhe presentes ricos, e ficava contente quando o presente agradava. O pai sempre ama as filhas mais do que a mãe. Para muitas moças, viver em casa é uma alegria! Eu, se tivesse uma filha, creio que nem a casaria.

— Como assim? — perguntou ela, com um ligeiro sorriso.

— Teria ciúme, juro por Deus. Ora, poderia ela beijar um estranho? Como poderia amar um outro mais do que o próprio pai? É penoso até imaginar isto. Está claro que tudo isto é um absurdo; está claro que, por fim, cada um acaba sendo razoável. Mas eu, creio, antes de entregá-la, ia torturar-me com esta preocupação: rejeitaria os noivos um a um. Mas, apesar de tudo, acabaria casando-a com aquele que ela própria amasse. Na realidade, porém, aquele que a filha ama sempre parece ao pai o pior de todos. É sempre assim. Muito mal acontece nas famílias por causa disso.

— Há gente que se sente mais feliz vendendo a filha do que casando-a honestamente — disse ela, de repente.

Ah, então é isso!

— Isto acontece, Liza, entre famílias malditas, onde não há Deus nem amor — repliquei exaltado. — E, onde não existe amor, também não há razão. É verdade que há famílias assim, mas não é delas que eu falo. Você, provavelmente, não viu coisas boas em sua família e, por isto, fala assim. Realmente, você é uma infeliz. Hum... Tudo isso acontece, principalmente, devido à pobreza.

— E entre os ricos será acaso melhor? As pessoas honestas são felizes até mesmo na pobreza.

— Hum... sim. Pode ser. Mas acontece também o seguinte, Liza: o homem gosta de levar em conta unicamente a sua aflição; não pensa na sua felicidade. Se considerasse isto, veria que lhe está reservado também um bom lote. Ora, pode acontecer que tudo dê certo numa família: com a graça de Deus, o marido é bom, cuida de você, ama-a, não a deixa um pouco sequer! É bom viver numa família assim! Por vezes, mesmo que haja aflição, é bom; e onde é que não existe aflição? Você talvez ainda se case, e *saberá então*. Tomemos para exemplo ao menos os primeiros tempos de casamento com aquele que se ama: quanta felicidade pode advir disso! E é algo contínuo. Nos primeiros tempos, até as brigas com o marido acabam bem. Algumas, quanto mais amam, mais brigas com o marido arranjam. É verdade; conheci uma que dizia: "Amo-te muito, é por amor que te atormento, e para que sintas isto". Sabe que, por amor, pode-se atormentar uma pessoa? Sobretudo as mulheres. E elas pensam, no íntimo: "Em compensação, vou depois amar tanto, hei de acarinhar tanto, que não é pecado atormentá-lo agora um pouco". E, em casa, todos se alegram com vocês, tudo é bom, agradável, pacífico, honesto... Algumas existem que são ciumentas. Se ele vai a alguma parte (conheci uma assim), a mulher não se contém e sai correndo no meio da noite, para espiar às escondidas: não é ali que ele está, naquela casa, com aquela? Isto já é ruim. E ela mesma sabe que é ruim, e o seu coração se congela e se atormenta, mas ela ama; é tudo por amor. E como é bom, depois de uma briga, fazer as pazes, ela mesma se culpar perante ele, ou perdoar! E ambos se sentirão tão bem, tão bem! É como se tivessem acabado de se encontrar, de se casar, como se o amor tivesse começado de novo. E ninguém, ninguém deve saber o que acontece entre marido e mulher, se eles se amam. E, seja qual for a briga, não devem chamar nem a própria mãe para juiz, nem contar nada um do outro. Eles mesmos são seus próprios juízes. O amor é um mistério de Deus e deve ser oculto de todos os olhares estranhos, aconteça o que acontecer. Deste modo, tudo é mais santo, tudo é melhor. Eles se respeitarão mais um ao outro, e muita coisa baseia-se no respeito mútuo. E se já houve amor, se se casaram por amor, por que há de este amor acabar?! Não se pode acaso mantê-lo? É difícil que não se consiga isto. Bem, e se o marido se revela uma pessoa boa e honesta, neste caso como é que o amor vai acabar? Passará o primeiro amor conjugal, é verdade, mas então chegará um amor ainda melhor. Ambas as almas se unirão, todos os seus interesses serão comuns, e um não terá qualquer segredo para com o outro. E, quando os filhos vierem, mesmo os tempos mais difíceis vão parecer uma felicidade; é só amar e ser corajoso. Então, até o trabalho dá alegria, e é com alegria também que às vezes se recusa o próprio pão para dá-lo aos filhos. E eles, depois, vão amar-nos por isto, mais tarde. É, pois, para nós próprios que amealhamos. As crianças crescem, e nós sentimos que somos para elas um exemplo, um apoio; e, mesmo que a gente morra, elas hão de trazer consigo, pela vida toda, os nossos sentimentos e as nossas ideias, do modo como os receberam de nós, e serão feitos à nossa imagem e semelhança. Quer dizer que isto é um alto dever. Como é possível, no caso, um pai não se unir mais intimamente à mãe? Dizem alguns que é coisa árdua criar filhos. Mas quem é que o diz? É uma felicidade dos céus! Você gosta de crianças pequenas, Liza? Eu gosto delas terrivelmente. Você sabe... um menino assim, todo rosadinho, a sugar-lhe o seio... E qual o marido que não sente o coração voltar-se para a esposa, vendo-a sentada com o filho dele?! A criança rosadinha, rechonchudinha, revira-se, dengosa, pezinhos e mãozinhas gorduchinhos, unhinhas bem limpas, pequenas, tão pequenas que se tornam até engraçadas, e olhinhos que já parecem compreender tudo. E, quando mama, fica repuxando o seio da mãe, brincando. Se o pai se aproxima, ela se desprende do peito, inclina-se toda para trás, olha o pai, dá uma risada, como se o caso fosse — sabe Deus por que — engraçado, e de novo, de novo se põe a mamar. Ou então, de repente, dá uma mordida no peito da mãe, se é que os dentinhos já lhe estão surgindo, e lhe dirige os olhinhos de viés: "Está vendo, dei uma mordida!". Mas não estará nisso toda a felicidade, quando ficam juntos os três — o marido, a mulher e o filho? Em troca de momentos como este, muita coisa se pode perdoar. Não, Liza, antes de acusar os outros, é preciso que cada um aprenda por si mesmo a viver!

"É com estes quadrinhos, justamente com estes quadrinhos, que é preciso atuar sobre você!", pensei comigo, embora, juro por Deus, eu tivesse falado com sentimento; e de chofre corei. "Bem, e se ela de repente der uma gargalhada, onde irei parar?" — Este pensamento deixou-me furioso. No final do meu discurso, eu ficara realmente exaltado, e agora o meu amor-próprio de certo modo sofria. O silêncio prolongava-se. Quis, até, dar-lhe um safanão.

— O que foi que você... — começou ela, de repente, e se deteve.

Mas eu já compreendera tudo: em sua voz tremia algo diverso, que não era abrupto, grosseiro, obstinado, como há pouco, mas algo suave e pudico, tão pudico que eu mesmo, de repente, senti certa vergonha perante ela, senti-me culpado.

— O quê? — perguntei com uma curiosidade carinhosa.

— É que você...

— O quê?

— É que você... fala como se estivesse lendo um livro — disse, e um tom de mofa pareceu ouvir-se, de novo, em sua voz.

Esta observação espicaçou-me dolorosamente. Não era o que eu esperava.

Não compreendi sequer que ela se mascarava, de propósito, com aquela zombaria, que era o último ardil das pessoas envergonhadas e de coração virtuoso, quando alguém lhes procura penetrar a alma, de modo rude e insistente, e que, até o último instante, não se rendem por orgulho e temem expressar o seu sentimento diante de outrem. Já pela timidez com que ela tentara várias vezes expressar a sua zombaria, e com que, por fim, mal se decidira a enunciá-la, eu devia ter adivinhado. Mas não adivinhei, e um mau sentimento se apossou de mim.

"Espere um pouco", pensei.

VII

— Eh, chega, Liza, que história de livro é esta, se eu mesmo me sinto mal, me sinto um estranho? E não só como um estranho. Tudo isto me despertou agora no íntimo... Será possível, será possível que você mesma não se sinta mal aqui? Não, o hábito pelo visto significa muito! O diabo é que sabe o que o hábito pode fazer de uma pessoa. Será que você pensa seriamente que nunca há de envelhecer, que será sempre bonita, e que eles vão mantê-la aqui eternamente? Além do mais, mesmo isto é uma imundice... Mas ouça o que vou lhe dizer sobre a sua vida atual: você é moça, gentil, bonita, tem alma, tem sentimento; mas sabe que ao dar acordo de mim, ainda há pouco, me senti mal por estar com você aqui?! Só mesmo embriagado é que se pode vir parar nesta casa. E se você estivesse num outro lugar, vivendo com as pessoas direitas, não é que eu fosse arrastar a asa a você, mas simplesmente me apaixonaria; ficaria contente com um único olhar seu, quanto mais com uma palavra; iria esperá-la no portão, ajoelhar-me a seus pés, olhá-la como minha noiva e ainda consideraria isto uma honra. Não ousaria ter sequer um pensamento impuro a seu respeito. E aqui sei que me basta dar um assobio, e você, queira ou não, terá de me seguir, e não serei eu que perguntarei a sua vontade, mas você a minha. O último dos mujiques, quando faz um contrato de trabalho, não se entrega, apesar de tudo, totalmente, e, além disso, sabe que tem um prazo. E você, qual é o prazo? Pense um pouco: o que entrega você aqui? O que empenha? Com o corpo, está empenhando a alma, a alma que não lhe pertence! Está entregando ao primeiro bêbado o seu amor, para que o profane! O amor! Mas isto é tudo, é um diamante, um tesouro virginal, o amor! Para merecer este amor, alguns estão prontos a entregar a alma, a enfrentar a morte. E que preço darão agora ao seu amor? Você foi comprada, você inteira, e para que procurar neste caso obter o amor, quando mesmo sem amor tudo é possível? Não pode haver ofensa maior para uma moça, compreende acaso isto? Ouvi dizer que fazem favores a vocês aqui, a vocês tolas: permitem-lhes ter amantes. Mas isto é puro divertimento para essa gente, um verdadeiro embuste; estão zombando de vocês, e vocês acreditam. Pensa que ele realmente a ama, o amante? Não acredito. Como é que ele vai amar, se sabe que, a qualquer momento, vão chamá-la, que você deverá deixá-lo por um outro? Depois de uma coisa dessas, ele será apenas um crápula! Respeitá-la-á um pouquinho sequer? Que é que você tem de comum com ele? Ele ri de você e ainda a rouba: aí está todo o seu amor! Ainda é bom quando não lhe bate. Ou talvez bata. Pergunte ao seu amante, se acaso tiver um, se ele casará com você. Vai rir-lhe na cara, se é que não cuspirá e não baterá em você. E ele próprio talvez não valha um tostão furado. E por que, pensará você, perdeu aqui toda a sua vida? Servem-lhe café e alimentam-na bem? Mas para que a alimentam? Uma outra mulher, direita, seria incapaz de engolir um pedaço dessa comida, se soubesse com que fim ela é servida. Você tem dívidas aqui, e sempre vai tê-las, até o fim, até o dia em que os visi-

Memórias do subsolo

tantes passem a ter repugnância por você. E isto acontecerá em breve, não confie na mocidade. Aqui o tempo corre como um cavalo de posta. Irão botá-la na rua. E não vão pô-la simplesmente na rua, mas, com muita antecedência, começarão a implicar com você, a censurá-la, a insultá-la, como se você não tivesse entregue à dona da casa tudo quanto possuía, a saúde, a mocidade, como se, por causa dela, não tivesse sacrificado a alma em vão, mas, ao contrário, como se a tivesse arruinado, roubado, posto na miséria. E não espere ajuda: as companheiras também se voltarão contra você, para agradar à patroa, porque todas aqui são escravas e há muito perderam a consciência e a compaixão. Tornaram-se ignóbeis, e não há sobre a terra nada mais horrível, mais vil, mais ofensivo do que os insultos com que elas vão humilhá-la. E você deixará tudo aqui, sem reserva: a saúde, a mocidade, a beleza, as esperanças; aos vinte e dois anos parecerá ter trinta e cinco, e ainda será bom se não ficar doente; peça isto a Deus. Agora, você talvez pense que tudo isto nem chega a lhe dar trabalho, que é uma vadiação. Mas não existe no mundo, e nunca existiu, trabalho mais árduo, mais patibular. Parece que o coração é até capaz de se desfazer em lágrimas. E você não ousará dizer palavra, nem meia palavra, quando a expulsarem daqui: há de partir como uma culpada. Há de passar a uma outra casa, depois a uma terceira, a seguir irá para uma outra ainda, e chegará finalmente à Siênaia. E ali vão simplesmente bater em você; é a amabilidade que se usa ali; um daqueles visitantes não sabe fazer um carinho sem bater antes. Você não acredita que aquilo seja tão nojento? Vá um dia dar uma espiada, talvez veja isto com seus próprios olhos. Vi lá uma mulher, à porta de uma daquelas casas, numa noite de Ano-Bom. As próprias companheiras empurraram-na para fora, para que apanhasse um pouco de frio, porque estava chorando muito, e fecharam atrás dela a porta. Às nove da manhã, já estava completamente bêbada, desgrenhada, seminua, coberta de pancadas. Toda empoada, com manchas negras junto aos olhos e sangue escorrendo do nariz e das gengivas: algum cocheiro acabava de lhe fazer aquele estrago. Sentada na escadinha de pedra, segurava nos braços não sei que peixe salgado; chorava à toda, soltava uns lamentos sobre o seu "dessino" e fustigava com o peixe os degraus da escada. E ali se juntou um grupo de cocheiros e de soldados bêbados, que zombavam dela. Você não acredita que, um dia, será uma dessas? Eu também não gostaria de acreditar, mas — como se vai saber? — talvez uns dez, uns oito anos antes, essa mesma mulher do peixe salgado tenha vindo para cá de alguma parte, fresquinha como um querubim, inocente, pura; não conhecia o mal, corava depois de cada palavra. Talvez fosse como você, orgulhosa, suscetível, diferente das demais, talvez parecesse uma rainha e soubesse que toda a felicidade aguardava aquele que a amasse e que ela amasse também. Você vê como acabou tudo? E que tal se, naquele mesmo instante em que ela batia com o peixe nos degraus sujos, bêbada e desgrenhada, que tal se nesse instante ela se lembrasse dos seus anos puros, passados na casa paterna, quando ainda ia à escola e o filho do vizinho a esperava no caminho e lhe assegurava que haveria de amá-la a vida toda, que lhe confiaria todo o seu destino, e ambos juravam amar-se para sempre e casar logo que se tornassem adultos?! Não, Liza, será uma felicidade, uma verdadeira felicidade para você se puder morrer num canto, num porão, como a mulher que eu vi hoje. No hospital, diz você? Está bem, vão levá-la para lá; mas que acontecerá se a patroa ainda precisar de você? A tísica é uma doença assim; nem sempre é um ataque de febre. Uma pessoa tem esperança até o derradeiro momento e diz que está passando bem. É um autoconsolo. E isso traz vantagem para a patroa. Não se incomode, é assim mesmo; vende-se a alma e, além disso, fica-se devendo dinheiro, e você não ousará soltar um pio. E, quando estiver morrendo, todos vão abandoná-la e virar-lhe o rosto; pois o que se poderá então obter de você? Ainda irão censurá-la por ocupar um lugar de gra-

Memórias do subsolo

ça, por estar custando a morrer. Se pedir água, vão dá-la, mas com um insulto: "Quando é que vai morrer afinal, peste? Atrapalha o nosso sono, geme, os fregueses ficam com nojo". É exatamente assim: eu mesmo tive ocasião de ouvir tais palavras. Moribunda, vão atirá-la para o canto mais fétido do porão, um canto escuro, úmido. O que não pensará então você, deitada ali sozinha? E, quando estiver morta, mãos estranhas irão vesti-la às pressas, aos resmungos, com impaciência; ninguém vai abençoá-la, ninguém suspirará por você; todos vão querer ver-se livres daquilo o quanto antes. Comprarão um caixão e carregarão do modo como hoje carregaram aquela infeliz, e irão ao botequim beber à sua memória. No túmulo, estará uma lamaceira, uma sujeira, a neve molhada; será por sua causa que irão fazer cerimônia? "Desce ela, Vaniukha; isto é que é 'dessino'! Mesmo aqui, continua de pernas para o ar, a coisinha. Encurta essas cordas, vagabundo. Assim está bem. O que é que está bem? Ih, assim fica deitada de lado. Sempre era gente, ou não era? Vá, está bem, pode cobrir." Nem vão querer trocar insultos muito tempo por causa de você. Vão cobri-la o mais depressa possível com barro azulado e úmido e irão para o botequim... E este será o fim da sua memória sobre a terra; os túmulos de outra gente são visitados por filhos, pais, maridos; mas você não terá uma lágrima, um suspiro, uma lembrança, e ninguém, absolutamente ninguém, em todo o mundo, irá visitá-la; o seu nome desaparecerá da face da terra, como se você nunca tivesse existido, como se não tivesse nascido! A lama, o pântano, nem que você bata na tampa do caixão, na hora em que os defuntos se levantam: "Deixai-me, boa gente, vou viver um pouco no mundo! Vivi, mas não vi a vida: a minha perdeu-se por um nada; gastaram-na bebendo num botequim da Siênaia; deixai-me, boa gente, ir mais uma vez viver no mundo!...".

Tornei-me patético, um espasmo estava a ponto de apertar-me a garganta, e... de repente eu me detive, soergui-me assustado e, inclinando, temeroso, a cabeça, fiquei de ouvido atento, o coração me batia. Havia de fato motivo para me perturbar.

Eu pressentia, desde muito, que lhe transtornara a alma inteira e lhe rompera o coração, e, quanto mais eu me convencia disto, tanto mais queria atingir o objetivo o mais depressa e o mais intensamente possível. Fui levado pelo jogo; aliás, não era apenas jogo...

Eu tinha noção de que falava de modo tenso, artificial, livresco até, numa palavra, eu não sabia falar de outro modo a não ser "exatamente como um livro". Mas isto não me confundia; bem que eu sabia, pressentia, que seria compreendido, e que este próprio falar livresco podia até servir de ajuda no caso. Mas, tendo alcançado o efeito desejado, assustei-me de repente. Não, nunca, nunca eu fora testemunha de tamanho desespero! Ela estava deitada de bruços, o rosto fortemente comprimido contra o travesseiro, que rodeara com os braços. Seu peito se rompia. Todo o corpo jovem estremecia, como que em convulsões. Os soluços comprimidos em seu peito faziam pressão, dilaceravam-na, e, de repente, rompiam para fora, com gritos e clamores. Então, apertava-se ainda mais fortemente contra o travesseiro: não queria que uma só alma viva soubesse ali das suas lágrimas e tormentos. Mordia o travesseiro; mordeu mesmo a mão até sangrar (vi isto mais tarde); ou, de dedos agarrados às tranças desfeitas, petrificava-se no esforço, contendo a respiração e apertando os dentes. Em certo momento, comecei a dizer-lhe algo, pedi-lhe que se acalmasse, mas percebi que me faltava coragem, e de súbito eu mesmo, todo possuído de não sei que tremor de frio, quase apavorado, pus-me apressadamente a preparar-me, de qualquer jeito, às apalpadelas, para sair. Estava escuro: por mais que me esforçasse, não pude andar depressa. Em dado momento, apalpei uma caixa de fósforos e o castiçal com uma vela inteira, intacta. Mal a luz se espalhou pelo quarto, Liza ergueuse de um salto, sentou-se e, com o rosto um tanto contraído e um sorriso meio demente, olhou-me de modo quase inexpressivo. Sentei-me a seu lado e lhe tomei as mãos; voltou a si, atirou-se na minha direção, esboçou um abraço, o que não ousou fazer, e baixou docemente a cabeça.

— Liza, minha amiga, fiz mal... perdoe-me — comecei.

Mas ela apertou-me as mãos entre os seus dedos com tamanha força que percebi estar dizendo algo inoportuno e me calei.

— Aqui está o meu endereço, Liza; venha a minha casa.

— Irei... — murmurou com decisão, sempre sem erguer a cabeça.

— E agora eu vou embora, adeus... até logo.

Levantei-me, ela também, e de repente corou toda, estremeceu, agarrou um lenço jogado na cadeira e atirou-o nos ombros, cobrindo-se até o queixo. A seguir, sorriu novamente de certo modo doentio, tornou a corar e me lançou um olhar estranho. Eu sentia algo dolorido; apressei-me a ir embora, desaparecer.

— Espere — disse ela de súbito, já bem junto à porta da rua, segurando-me o capote para me deter; depôs às pressas a vela e saiu correndo, provavelmente por se ter lembrado de algo ou querendo trazê-lo para me mostrar. Estava toda corada, os olhos brilhando, e um sorriso aflorava-lhe aos lábios; o que seria? Forçosamente, esperei; ela voltou um instante depois, com um olhar que parecia pedir perdão. Não era mais o mesmo semblante, o mesmo olhar — sombrio, desconfiado, obstinado. Agora, tinha um olhar súplice, suave e, ao mesmo tempo, confiante, carinhoso, tímido. Assim olham as crianças para aqueles a quem muito amam e a quem pedem algo. Tinha os olhos castanhos claros, uns olhos lindos, vivos, que sabiam refletir em si tanto amor como ódio sombrio.

Sem me explicar nada, como se eu, na qualidade de criatura superior, devesse saber tudo sem explicações, estendeu-me um papelzinho. Todo o seu rosto, nesse instante, se iluminou com um triunfo ingênuo, quase infantil. Desdobrei-o. Era a carta que lhe dirigira certo estudante de medicina ou coisa parecida, uma declaração de amor, grandiloquente e muito floreada, mas extremamente respeitosa. Não me lembro agora exatamente dos termos, mas recordo muito bem que, através do estilo empolado, transparecia um sentimento sincero, que não se poderia fingir. Quando terminava a leitura, dei com o olhar de Liza, ardente, curioso, de uma impaciência infantil, fixado em mim. Grudara os olhos no meu rosto e esperava ansiosa a minha reação. Em algumas palavras, às carreiras, mas de certo modo contente e como que orgulhosa, explicou-me que estivera em certa reunião dançante, familiar, em casa de "gente muito boa, *de família*, e onde *ainda não sabem de nada*, absolutamente nada" — tanto mais que ela era novata na "loja de modas" e estava ali só para ver... mas de modo nenhum se decidira a ficar e, sem falta, iria embora, apenas pagasse a dívida... Bem, esse estudante também estava na reunião; passou toda a noite dançando com ela, falou-lhe, e acontecia que, quando criança ainda, ele a conhecera, em Riga, e eles brincaram juntos. Só que isto fora há muito tempo; ele conhecia os pais dela, mas, quanto a isto aqui, ele não sabia de nada, nada, nada, nem suspeitava sequer! E eis que no dia seguinte ao baile (isto é, havia três dias) mandara-lhe a carta por intermédio da amiga que a levara àquela casa de família... "e... bem, é tudo".

Quando acabou de falar, ela baixou, envergonhada, os olhos brilhantes.

Pobrezinha, guardava a carta daquele estudante como uma preciosidade, e correra para apanhar aquele seu único tesouro, não querendo deixar-me partir sem ficar sabendo que ela também era amada, honesta e sinceramente, que também lhe falavam com respeito. Está claro que o destino da carta era ficar guardada no cofrezinho, sem qualquer resultado. Não importa, porém; estou certo de que ela haveria de guardá-la a vida toda como uma preciosidade: era o seu orgulho e a sua justificação. E, agora, num momento especial, lembrara-se de trazer aquela carta, para ingenuamente se vangloriar dela, erguer-se aos meus olhos, para que também eu visse, para que também eu elogiasse o que ali estava escrito. Não disse nada, apertei-lhe a mão e saí. Tinha tanta vontade de ir embora... Fiz todo o percurso a pé, embora a neve molhada ainda caísse aos flocos. Estava esgotado, esmagado, perplexo. Mas, por trás da perplexidade, brilhava já a verdade. Uma verdade ignóbil!

VIII

Aliás, não foi de imediato que concordei em reconhecer essa verdade. Acordando, de manhã, após algumas horas de um sono profundo, de chumbo, e relembrando, no mesmo instante, tudo o que se passara na véspera, cheguei até a surpreender-me com o meu *sentimentalismo* em relação a Liza, com todos aqueles "horrores e compaixões de ontem". "Um belo dia a gente sofre um desses abalos femininos dos nervos, irra!", decidi. "E para que fui dar-lhe o meu endereço? E se ela vier? Aliás, que venha; não faz mal..." Mas, *provavelmente* aquilo não era, então, a coisa principal e mais importante: precisava apressar-me e procurar salvar o quanto antes a minha reputação aos olhos de Zvierkóv e Símonov. Nisso é que consistia o mais importante. E, quanto a Liza, cheguei a esquecê-la completamente, na correria daquela manhã.

Em primeiro lugar, era preciso pagar imediatamente a dívida da véspera a Símonov. Decidi-me a um recurso desesperado: tomar emprestados a Antón Antônitch quinze rublos. Como que de propósito, ele estava naquela manhã numa excelente disposição de espírito e me deu o dinheiro no mesmo instante em que o pedi. Fiquei tão contente com isto que, ao assinar o recibo, contei-lhe com *displicência* e certo ar valentão que, na véspera, "farreei com uns amigos no *Hôtel de Paris*; era a despedida de um companheiro, um amigo de infância, pode-se dizer, e — sabe? — ele é um grande farrista e homem muito festejado; está claro que é de boa família. Tem fortuna considerável, uma carreira brilhante, é simpático, espirituoso, tem casos com essas senhoras, o senhor compreende. Bebemos 'meia dúzia' mais do que devíamos... e...". Realmente, não havia nada demais. Tudo isto foi proferido com muita leveza, de modo desembaraçado e autossuficiente.

Ao voltar para casa, escrevi imediatamente a Símonov.

Ainda agora me extasio ao recordar o tom realmente cavalheiresco, bonachão e franco da minha carta. De modo hábil e nobre e, sobretudo, sem quaisquer palavras supérfluas, eu aceitava a culpa de tudo. Justificava-me, "se é que ainda se possa admitir que me justifique", com o fato de que, por absoluta falta de hábito, ficara bêbado com o primeiro cálice, que eu teria bebido ainda quando os esperava no *Hôtel de Paris*, entre as cinco e as seis horas. Pedia desculpas principalmente a Símonov; pedia-lhe também que transmitisse as minhas explicações a todos os demais, sobretudo a Zvierkóv, a quem, "lembro-me como num sonho", eu parecia ter ofendido. Acrescentava que iria pessoalmente à casa de cada um, mas estava com dor de cabeça e, sobretudo, envergonhado. Fiquei particularmente satisfeito com esta "certa leveza", quase displicência até (aliás, de todo conveniente), que se refletiu de súbito em minha escrita e, melhor que quaisquer argumentos possíveis, lhes fazia compreender, num instante, que eu encarava com bastante independência "toda esta imundice de ontem"; não estou absolutamente abatido, conforme os senhores, ao que parece, pensam, mas, pelo contrário, olho para isto como convém a um cavalheiro que tranquilamente se respeita. Era como se dissesse: "Não se censura a realidade a um moço galhardo".

Há nisto até um tom brincalhão, como se eu fosse um marquês, não é verdade?, extasiava-me, relendo o bilhete. E tudo provém do fato de eu ser uma pessoa culta, evoluída! Outros, no meu caso, nem saberiam como escapar da rede, mas eu me livrei e estou farreando de novo, e tudo porque sou "um homem culto e evoluído de nosso tempo". E, realmente, é possível que tudo isso tenha acontecido ontem por causa da bebida. Hum... não, não foi a bebida. Não tomei nem um pouco de vodca entre as cinco e as seis, enquanto os esperava. Menti a Símonov; menti de um modo desavergonhado; e agora também não tenho vergonha...

Aliás, que me importa?! O principal é que me safei.

Pus dentro da carta seis rublos, colei o envelope e pedi a Apolón que a levasse à casa de Símonov. Sabendo que o envelope continha dinheiro, Apolón tornou-se mais respeitoso e concordou em levá-lo. Ao anoitecer, fui dar uma volta. A cabeça ainda me doía e girava por causa do que sucedera na véspera. Mas, à medida que a noite caía e a escuridão se tornava mais densa, iam mudando e embaralhando-se as minhas impressões, e, depois delas, os meus pensamentos. Algo havia em meu íntimo, no fundo do meu coração e da minha consciência, que não queria morrer e se expressava numa angústia abrasadora. Eu me acotovelava sobretudo pelas ruas mais movimentadas, as do comércio, pela Mieschânskaia e a Sadóvaia, junto ao jardim de Iussupov. Gostava particularmente de passear por essas ruas sempre ao escurecer, justamente quando nelas se adensa a multidão de transeuntes — gente do comércio e artesãos vão para casa após o trabalho diário, e em suas fisionomias se reflete uma preocupação que beira a raiva. Agradava-me justamente esta azáfama vulgar, este prosaísmo insolente. Mas desta vez toda aquela balbúrdia de rua me irritava ainda mais. Não conseguia de modo algum ficar em paz comigo mesmo, chegar a um resultado qualquer. Algo se erguia, incessante e dolorosamente, em meu espírito e não queria aquietar-se. Voltei para casa inteiramente mal-humorado. Era como se me pesasse na alma certo crime.

Atormentava-me incessantemente o pensamento de que Liza podia vir a minha casa. Parecia-me estranho que, de todas aquelas recordações da véspera, a de Liza me torturasse de modo particular, inteiramente à parte. Ao anoitecer, eu já deixara de pensar em tudo o mais, e além disso estava inteiramente satisfeito com a minha carta a Símonov. Mas, em relação a Liza, eu, de certo modo, não me sentia satisfeito. Como se apenas ela me atormentasse. "E se ela vier?", pensava eu sem cessar. "Ora, não faz mal, que venha. Hum... Já é ruim o simples fato de que há de ver, por exemplo, como eu vivo. Ontem, apareci diante dela tão... herói... e agora, hum! Aliás, foi mau que eu me tivesse deixado decair a tal ponto. Em casa, é simplesmente uma indigência. E me decidi, ontem, a ir jantar com semelhante traje! E o meu divã de linóleo, com enchimento à mostra na parte posterior! E o meu roupão, que não dá para cobrir o corpo! Que frangalhos... E ela há de ver tudo isto; e verá também o Apolón. Este calhorda certamente há de ofendê-la. Implicará com ela, para me fazer uma grosseria. E, eu, naturalmente, vou-me assustar como de costume, darei uns passos miudinhos diante dela, procurarei juntar as abas do roupão, começarei a sorrir, a mentir. Ui, como é ruim! E o pior de tudo não está nisso! Existe algo mais importante, mais repulsivo e ignóbil! Mais ignóbil, sim! E novamente, novamente vestir esta máscara mentirosa, desonesta!..."

Chegando a este pensamento, explodi de vez:

"Desonesta por quê? Desonesta como? Ontem, falei com sinceridade. Lembro-me bem disso, e havia em mim um sentimento autêntico. O que eu quis foi justamente despertar nela sentimentos nobres... Se ela chorou, foi bom, isto há de ser benéfico...".

Mas, apesar de tudo, não conseguia de modo algum acalmar-me.

Em todas aquelas horas do anoitecer, mesmo depois que voltara para casa, quando já passava das nove e, segundo os cálculos, Liza não podia mais aparecer, parecia-me apesar de tudo vê-la e, principalmente, lembrava-me dela sempre na mesma posição. De tudo o que sucedera na véspera, havia um certo momento que se apresentava de modo particularmente vivo: era o momento em que eu iluminara o quarto com o fósforo e vira o seu rosto pálido, torcido, de olhar sofredor.

E que sorriso lastimável, pouco natural, contraído, tinha ela naquele instante! Mas então eu ainda não sabia que, mesmo quinze anos depois, Liza ainda se representaria no meu espírito com o mesmo sorriso lastimável, contraído, desnecessário, que tinha naquele instante.

No dia seguinte, mais uma vez, eu estava pronto a considerar tudo isto um absurdo, efeito dos nervos abalados e, sobretudo, um *exagero*. Sempre tive consciência deste meu ponto fraco e, às vezes, temia-o ao extremo: "Exagero tudo, e é isto que me faz capengar", repetia a mim mesmo de hora em hora. Aliás, "aliás, apesar de tudo, Liza é bem capaz de vir" — eis o refrão com que terminavam todas as minhas reflexões de então. Eu me inquietava tanto que chegava às vezes a enfurecer-me. "Virá! Virá, sem falta!", exclamava eu, percorrendo o quarto a passos largos. "Se não for hoje, será amanhã, mas com certeza há de me encontrar! Assim é o maldito romantismo de todos estes *corações puros*! Ó ignomínia, ó estupidez, ó mediocridade de todas essas 'almas vis e sentimentais'. Ora, como não compreender, como, parece-me, não compreender?..." Mas, neste ponto, eu mesmo me detinha, e numa grande comoção até.

"Como foram poucas, tão poucas", pensava eu de passagem, "as palavras necessárias, quão pouco idílio (e idílio falso, livresco, inventado), para revirar no mesmo instante toda uma alma humana ao jeito que se queria. Isto é que é virgindade! Isto é que é um solo intocado!".

Por vezes, vinha-me a ideia de eu mesmo ir vê-la, "contar-lhe tudo" e pedir-lhe que não fosse a minha casa. Mas com este pensamento erguia-se em mim uma raiva tal que, segundo parecia, eu teria esmagado aquela "maldita" Liza se ela aparecesse de repente a meu lado; tê-la-ia ofendido, coberto de escarros, expulsado, batido!

Passou-se no entanto um dia, outro, um terceiro; ela não vinha, e eu comecei a tranquilizar-me. Ficava particularmente animado depois das nove, e, desenfreado, às vezes punha-me mesmo a sonhar, e com bastante doçura até. Por exemplo: "Estou salvando Liza, justamente pelo fato de que ela vem a minha casa e eu lhe falo... Faço-a progredir, cuido da sua instrução. A seguir, percebo que ela me ama, que me ama apaixonadamente. Finjo não compreender (não sei bem para que este fingimento; provavelmente, apenas porque fica mais bonito). Finalmente, toda envergonhada, bela, trêmula, aos soluços, atira-se a meus pés e me diz que sou o seu salvador e que ela me ama acima de tudo no mundo. Fico perplexo, mas... 'Liza', digo-lhe, 'você pensa acaso que não notei o seu amor? Vi tudo, adivinhei, mas não me atrevia a atentar, primeiro, contra o seu coração, porque exercia influência sobre você e temia que, por nobreza, você se obrigasse intencionalmente a corresponder ao meu amor, fizesse à força nascer em si um sentimento que talvez não existisse, e eu não o queria, porque isto é... despotismo... É indelicado (bem, numa palavra, eu me desmanchava aí em alguma sutileza europeia, à George Sand, indescritivelmente nobre...). Mas agora, agora você é minha, é a minha obra, pura, bela, a minha linda esposa'.

> *E corajosa e livremente em minha casa,*
> *Entra, senhora e soberana!*[44]

A seguir, começamos a viver às direitas, viajamos para o estrangeiro etc. Numa palavra, eu próprio acabava por ter uma sensação ignóbil e por mostrar a língua a mim mesmo".

"Mas não deixarão vir a 'canalha'!", pensava eu. "Parece que não lhes permitem muito sair para passear, principalmente ao anoitecer (não sei por que, parecia-me que ela devia vir sem falta ao anoitecer, e precisamente às sete horas). Aliás, ela me disse que ainda não se comprometeu de todo,

---

[44] Versos finais do poema de Nekrássov, do qual foi tirada a epígrafe do capítulo 1 da segunda parte desta novela. (N. do T.)

que tinha lá certos direitos; quer dizer, hum! Com os diabos, ela virá, virá sem falta!"

Ainda bem que Apolón me distraía então com as suas grosserias. Fazia-me esgotar a paciência! Era a minha úlcera, o flagelo que me fora enviado pela providência. Havia alguns anos que nos alfinetávamos mútua e incessantemente, e eu o odiava. Meu Deus, como eu o odiava! Parece-me que nunca odiei ninguém como o odiava, sobretudo em determinados momentos. Era um homem de meia-idade, de ar importante, que exercia durante parte do tempo o ofício de alfaiate. Mas, sem se saber por que, desprezava-me, além de qualquer medida até, e me olhava intoleravelmente de cima. Aliás, olhava a todos de cima. Bastava lançar um olhar àquela cabeça muito loura, de cabelos bem alisados, ao topete que armava sobre a fronte e que engordurava com azeite, àquela boca imponente, sempre dobrada em forma de *íjitza*[45] para se compreender estar diante de uma criatura que jamais duvidava de si. Era um pedante no mais alto grau, o maior de todos os pedantes que eu jamais encontrei sobre a terra, e tudo isto acrescido de um amor-próprio que talvez fosse decente apenas num Alexandre da Macedônia. Cada um dos seus botões o deixava apaixonado, cada uma das suas unhas, completamente apaixonado, via-se bem! Tratava-me de modo totalmente despótico, falava comigo o mínimo possível, e, se lhe acontecia lançar-me um olhar, este era sempre firme, altivo, autossuficiente e zombeteiro, e às vezes me fazia chegar a um estado de furor. Cumpria as suas obrigações com um ar de quem estivesse fazendo o maior dos favores. Aliás, não fazia quase nada por mim e até não se considerava obrigado a isto. Não podia haver dúvida de que ele me julgava o último imbecil do mundo, e, se "me mantinha junto a si", era unicamente porque podia receber de mim mensalmente um salário. Concor-

---

[45] A letra íjitza (V) era a última do alfabeto russo. Foi suprimida pela reforma ortográfica de 1917. (N. do T.)

dava em "não fazer nada" em minha casa, por sete rublos mensais. Por causa dele muitos pecados me serão perdoados. O ódio chegava às vezes a tal ponto que apenas o seu passo já me provocava quase convulsões. Mas o que me repugnava mais era a sua fala em *ch*. Tinha a língua um tanto mais comprida que o normal, ou coisa semelhante, e por isso falava chiando continuamente, ciciava e parecia orgulhar-se muito disso, pois imaginava que lhe acrescentasse considerável dignidade. Falava com suavidade, espaçadamente, as mãos atrás, nas costas, e os olhos baixos. Enfurecia-me sobretudo quando se punha a ler o saltério, atrás do seu tabique. Travei muitas batalhas por causa daquela leitura. Mas ele gostava terrivelmente de ler à noitinha, com uma voz tranquila, regular, cantante, como se estivesse encomendando um defunto. É curioso que tenha acabado por fazê-lo: atualmente, costuma assumir a tarefa de ler o saltério nos enterros e também se ocupa da destruição de ratos e da fabricação de graxa de sapatos. Mas, naquela época, não podia expulsá-lo, como se ele estivesse fundido quimicamente com o meu ser. Ademais, ele não concordaria por nada em deixar a minha casa. Eu não podia morar em *chambres-garnies*:[46] meu apartamento era meu palacete, minha casca, o estojo em que me escondia de toda a humanidade, e Apolón, o diabo sabe por que, parecia-me pertencer àquele apartamento, e durante sete anos eu não consegui enxotá-lo.

Era impossível, por exemplo, reter o seu ordenado por dois ou três dias que fosse. Ele teria criado um caso tal que eu não saberia onde me esconder. Mas, naqueles dias, eu andava tão enraivecido contra todos que me decidi — não sei por quê nem para quê — *castigar* Apolón e passar duas semanas sem lhe pagar o ordenado. Fazia muito tempo já, uns dois anos, que eu me preparava para isto, unicamente para lhe demonstrar que ele não podia atrever-se a ter aqueles ares de importância para comigo, e que, se eu quisesse, sempre tinha

---

[46] "Quartos mobiliados", em francês. (N. do T.)

o recurso de não lhe pagar o ordenado. Resolvi não lhe falar sobre o assunto e até de propósito manter-me calado, a fim de vencer o seu orgulho e obrigá-lo a falar primeiro sobre o salário. Então eu tiraria da gaveta sete rublos, mostraria que tinha aquele dinheiro e que o havia separado intencionalmente, mas que eu "não queria, não queria, simplesmente não queria pagar-lhe o ordenado, e não queria simplesmente porque *assim queria*", porque "era a minha vontade de patrão", porque ele era desrespeitoso e grosseiro; mas que, se ele me pedisse respeitosamente, eu talvez amolecesse e lhe pagasse; senão, era capaz de esperar mais duas semanas, três, um mês inteiro...

Mas, apesar de toda a minha raiva, foi ele quem venceu. Não cheguei a suportar quatro dias. Ele começou por aquilo que sempre fazia em semelhantes ocasiões, pois não era a minha primeira tentativa (e devo observar, eu sabia de tudo isso de antemão, conhecia de cor a sua tática vil): começava por fixar em mim um olhar extremamente severo, não o desviava por alguns minutos seguidos, sobretudo ao receber-me ou à despedida, quando eu saía. Se eu, por exemplo, conseguia suportá-lo e fingia, não notar aqueles olhares, ele, calado como antes, passava aos suplícios seguintes. Entrava sem mais nem menos, suave e tranquilamente, em meu quarto, quando eu estava caminhando ou lendo, parava à porta, levava a mão às costas, afastava um pé e fixava em mim o olhar, que já não era apenas severo, mas decididamente desdenhoso. Se eu lhe perguntava de chofre o que queria, não respondia nada, continuava a olhar-me firmemente por mais alguns segundos e, depois, apertando os lábios de certo modo peculiar, virava-se lentamente no mesmo lugar, com um ar significativo, e ia, também lentamente, para o seu quarto. Umas duas horas mais tarde, tornava a sair de lá, aparecendo de novo daquele modo na minha frente. Sucedia que, enfurecido, eu não lhe perguntava mais o que queria, mas erguia a cabeça com ar dominador e também me punha a olhá-lo fixamente. Acontecia nos olharmos assim por uns dois minutos; finalmente, ele se virava devagar, com imponência, e tornava a desaparecer por duas horas.

Se isto ainda não me fazia voltar ao bom senso e eu continuava a rebelar-me, ele de súbito se punha a suspirar, olhando-me, a suspirar longa e profundamente, como se medisse com aquele suspiro todo o alcance da minha queda moral, e, está claro, acabava por vencer totalmente: eu me enfurecia, gritava, mas era forçado a cumprir aquilo que fora o móvel do caso.

Naquela ocasião, apenas começaram as manobras habituais dos "olhares severos", fiquei imediatamente fora de mim e, enfurecido, voltei-me contra ele. Mesmo sem aquilo, eu já estava por demais irritado.

— Espere! — gritei enfurecido, quando ele se voltava lenta e silenciosamente, de mão para trás, a fim de se retirar para o seu quarto. — Espere! Volte, volte, ordeno-lhe!

Devo ter vociferado de modo tão incomum que ele se voltou e se pôs a examinar-me até com certa surpresa. Aliás, continuava a não dizer palavra, e isto justamente é que me enraivecia.

— Como se atreve a entrar no meu quarto sem pedir licença e a olhar-me deste modo? Responda!

Mas, depois de me olhar tranquilamente durante cerca de meio minuto, ele recomeçou a virar-se.

— Espere! — rugi, correndo para junto dele. — Não se mova! Assim. Responda agora: para que veio olhar?

— Se agora o senhor tem alguma coisa para me mandar fazer, a minha tarefa é executar — respondeu, depois de um novo silêncio, ciciando baixo e espaçadamente, as sobrancelhas erguidas, e tendo girado calmamente a cabeça de cima de um ombro para o outro, e tudo isto com uma tranquilidade aterradora.

— Não é isto, não é isto que estou perguntando a você, carrasco! — gritei, trêmulo de raiva. — Eu mesmo vou dizer a você, carrasco, para que vem até aqui: está vendo que não lhe pago o salário; você mesmo, por orgulho, não quer se inclinar e pedir, e vem para me castigar com seus olhares estúpidos, para me atormentar, e você, carrasco, nem su-u-uspeita como isto é estúpido, estúpido, estúpido, estúpido, estúpido!

Recomeçou a voltar-se em silêncio, mas eu o segurei.

— Ouça! — gritei-lhe. — Aqui está o dinheiro, você vê: está aqui! (Tirei-o da mesinha.) Todos os sete rublos, mas você não os receberá, não rece-e-eberá até que venha respeitosamente, de cabeça baixa, pedir-me perdão. Está ouvindo?!

— Isto não pode ser! — respondeu ele, com certa autossuficiência nada natural.

— Pois será! — gritei. — Dou-lhe a minha palavra de honra, será!

— Mas eu não tenho do que pedir perdão ao senhor — continuou ele, parecendo não notar sequer os meus gritos —, pois foi o senhor quem me chamou de "carrasco", e eu sempre posso queixar-me disso na polícia do bairro.

— Vá! Apresente queixa! — urrei. — Vá agora, neste mesmo minuto, neste segundo! E, apesar de tudo, é um carrasco, um carrasco, um carrasco! — Mas ele olhou-me apenas, depois voltou-se e, não atendendo mais aos gritos com que o chamava, recolheu-se num passo harmonioso, sem se virar.

"Se não fosse Liza, não teria acontecido nada disto!", concluí no íntimo. A seguir, depois de permanecer parado por um minuto mais ou menos, dirigi-me para o espaço dele, atrás dos biombos, com ar imponente e solene, mas com o coração batendo devagar e com força.

— Apolón! — disse baixo e espaçadamente, ainda que perdendo o fôlego. — Vá agora mesmo, e sem mais delongas, chamar o guarda!

Ele já tinha sentado à mesa, pusera os óculos e começara a costurar algo. Mas, ouvindo a minha ordem, rompeu em riso.

— Vá agora, já, neste mesmo instante! Vá, ou você nem imagina o que acontecerá!

— O senhor não está realmente em seu juízo — observou ele, sem levantar sequer a cabeça, continuando a ciciar lentamente e a enfiar o fio de linha na agulha. — E onde já se viu uma pessoa ir procurar uma autoridade contra si mesmo? E, quanto ao medo, o senhor está gritando inutilmente, porque não vai acontecer nada.

— Vá! — gritei esganiçadamente, agarrando-o pelo ombro. Senti que um pouco mais e eu o espancaria.

E nem ouvi como, naquele instante, se abriu de súbito, quieta e lentamente, a porta da antessala e certo vulto entrou, deteve-se e, perplexo, se pôs a examinar-nos. Lancei-lhe um olhar, gelei de vergonha e corri para o meu quarto. Ali, agarrando os cabelos com as mãos, apoiei a cabeça à parede e fiquei petrificado nessa posição.

Uns dois minutos depois, ouviram-se os passos vagarosos de Apolón.

— Ali está *uma qualquer*, e pergunta pelo senhor — disse, olhando-me com particular severidade; depois se afastou e deixou passar Liza. Ele não queria ir embora e examinava-nos com ar zombeteiro.

— Fora! Fora! — comandei-lhe, perdendo o controle. Nesse instante, a minha pêndula fez um esforço, chiou e bateu as sete.

IX

E corajosa e livremente em minha casa,
Entra, senhora e soberana!

(do poema de Nekrássov, já citado)

Achava-me em pé diante dela, abatido, humilhado, repulsivamente envergonhado e, ao que parece, sorria, procurando com todas as forças cobrir-me com as abas do meu roupãozinho de algodão, puído, exatamente como, ainda há pouco, eu imaginara num momento de desânimo. Decorridos alguns instantes, Apolón, que estivera ali parado, mais alto que nós, afastou-se, mas não me senti aliviado com isto. O pior foi que ela também ficou de repente confusa, e de um modo tal que nem eu esperava. Isto se deu quando me olhava, está claro.

— Sente-se — disse eu maquinalmente, pondo para ela uma cadeira junto à mesa e sentando-me no divã. Obedeceu-me no mesmo instante, dirigindo para mim os olhos bem abertos e, provavelmente, esperando que eu fizesse algo. Aquela ingenuidade foi justamente o que me enfureceu, mas contive-me.

Eu poderia esforçar-me em não reparar em nada, como se tudo se passasse da maneira mais natural, e ela... E senti confusamente que ela haveria de me pagar caro *por tudo aquilo*.

— Você me encontrou numa situação esquisita, Liza — comecei gaguejando, sabendo que era justamente daquele modo que não devia começar.

— Não, não, não fique imaginando coisas! — exclamei vendo que ela de súbito corara. — Não me envergonho da minha pobreza... Pelo contrário, orgulho-me dela. Sou pobre, mas nobre de caráter... É possível ser pobre e ter nobreza — balbuciei. — Bem... você quer chá?

— Não... — começou ela.

— Espere!

Levantei-me de um salto e corri para chamar Apolón. Bem que me era necessário sumir em alguma parte.

— Apolón — murmurei numa fala apressada e febril, atirando na sua frente os sete rublos que estiveram o tempo todo em meu punho. — Aí está o seu salário. Como vê, entrego-lhe. Mas, em compensação, deve salvar-me. Traga-me imediatamente da taverna chá e dez torradas. Se você não quiser ir, fará uma pessoa infeliz! Você não sabe que mulher ela é... Ela é tudo! Você talvez esteja pensando alguma coisa... Mas não sabe que mulher ela é!...

Apolón, que já se sentara para trabalhar e tornara a pôr os óculos, a princípio espiou de viés o dinheiro, em silêncio, sem largar a agulha; a seguir, sem me dedicar a mínima atenção e sem me responder nada, continuou a lidar com o fio de linha, que ainda estava enfiando na agulha. Fiquei uns três minutos à espera, parado diante dele, os braços *à la Napoléon*. Tinha as têmporas molhadas de suor; sentia que devia estar pálido. Mas, graças a Deus, olhando-me, ele provavelmente ficou com pena. Acabando de enfiar a linha, soergueu-se lentamente, afastou lentamente a cadeira, tirou lentamente os óculos, lentamente tornou a contar o dinheiro e, por fim, depois de me perguntar por cima do ombro se era para comprar uma porção inteira, saiu lentamente do quarto. Quando eu regressava para junto de Liza, veio-me à mente: não seria melhor fugir assim mesmo, de roupãozinho, a todo vapor, sem dar importância ao que acontecesse depois?

Tornei a sentar-me. Ela me olhava inquieta. Passamos alguns instantes em silêncio.

— Vou matá-lo! — exclamei de repente, batendo com força o punho na mesa, de modo que a tinta espirrou para fora do tinteiro.

— Ah, que é isto?! — gritou ela, estremecendo.

— Vou matá-lo, vou matá-lo! — exclamava eu com voz esganiçada, batendo na mesa, completamente fora de mim e, ao mesmo tempo, compreendendo perfeitamente como era estúpida aquela cólera.

— Você não sabe, Liza, o que este carrasco é para mim. É o meu carrasco... Foi agora comprar torradas; ele...

E, de repente, eu me desfiz em lágrimas. Era uma crise. Tinha tanta vergonha, em meio aos soluços, mas não podia mais contê-los.

Ela assustou-se.

— O que tem?! Mas o que é que tem?! — exclamava, agitando-se em torno de mim.

— Água, quero água; está ali! — balbuciava eu, a voz

Memórias do subsolo

fraca, compreendendo, aliás, no íntimo, que poderia muito bem passar sem água e não murmurar debilmente. Mas eu, por assim dizer, *representava*, para salvar a decência, embora a crise fosse verdadeira.

Serviu-me a água, olhando-me como que perplexa. Nesse instante, Apolón entrou com o chá. Tive de súbito a impressão de que aquele chá comum e prosaico era terrivelmente indecoroso e miserável depois de tudo o que sucedera, e corei. Liza olhava para Apolón, e estava até assustada. Ele saiu sem nos olhar.

— Liza, você me despreza? — disse eu, olhando-a fixamente, tremendo de impaciência por saber o que ela pensava.

Ficou confusa e não soube responder.

— Tome o chá! — disse eu com rancor.

Eu estava enraivecido contra mim mesmo, mas, naturalmente, ela é que devia sofrer as consequências. Um rancor terrível contra ela ferveu de chofre em meu coração; era capaz de matá-la ali mesmo, parecia-me. Para me vingar dela, jurei mentalmente não lhe dizer mais nenhuma palavra enquanto estivesse ali. "Ela é que é a causa de tudo", pensava.

O nosso silêncio durava já uns cinco minutos. O chá estava sobre a mesa; não o tocamos: eu chegara a um estado tal que, de propósito, não queria começar a tomá-lo, a fim de tornar a situação dela ainda mais penosa, e ela sentia embaraço em começar. Por algumas vezes, olhou-me com uma perplexidade triste. Eu, obstinado, calava-me. O maior sofredor, sem dúvida, era eu próprio, pois percebia completamente toda a repulsiva baixeza da minha rancorosa estupidez e, ao mesmo tempo, não podia de modo algum conter-me.

— Eu quero... sair de lá... de uma vez — começou ela, com o propósito de romper o silêncio, mas, coitada!, justamente disso é que não se devia começar a falar, num momento que já era assim estúpido, a um homem tão estúpido como eu. O meu coração ficou dolorido de compaixão, vendo a sua falta de jeito e retidão desnecessária. Mas algo disforme esmagou em mim no mesmo instante toda compaixão, e até me espicaçou ainda mais: que se perca tudo no mundo! Passaram-se mais cinco minutos.

— Eu não vim estorvá-lo? — insinuou ela com timidez, quase imperceptivelmente, e começou a levantar-se.

Mas apenas vi esta primeira explosão de dignidade ofendida, fiquei trêmulo de furor e imediatamente perdi a contenção.

— Diga-me, por favor, para que veio a minha casa? — comecei, perdendo o fôlego e até mesmo sem atentar para a ordem lógica das minhas palavras. Eu queria dizer tudo de uma vez, numa rajada; nem me preocupou sequer saber por onde começar. — Por que você veio? Responda! Responda! exclamava, quase perdendo a consciência de mim mesmo. — Vou dizer-lhe, mãezinha, para que veio aqui. Veio porque eu disse então a você *palavras piedosas*. Pois bem, você ficou enternecida com elas, e agora quis ouvir de novo "palavras piedosas". Pois saiba, saiba de uma vez, que eu então estava rindo de você. E agora também rio. Por que está tremendo? Sim, eu ria! Eu tinha sido ofendido, ao jantar, pelos que estiveram naquela casa antes de mim. Fui até lá para espancar um deles, um oficial; mas não deu certo, não o encontrei; tinha que desabafar sobre alguém o meu despeito, tomar o que era meu; apareceu você, e eu descarreguei sobre você todo o meu rancor, zombei de você. Humilharam-me, e eu também queria humilhar; amassaram-me como um trapo, e eu também quis mostrar que podia mandar... Eis o que aconteceu; e você pensou que eu fui para lá de propósito para salvá-la, não? Você pensou isto? Você pensou isto?

Eu sabia que talvez ela ficasse confusa e não compreendesse os pormenores; mas sabia também que compreenderia admiravelmente o essencial. E foi o que sucedeu. Ficou branca como um lenço, quis dizer algo, os seus lábios torceram-se com expressão doentia; mas caiu sobre a cadeira, como que decepada a machado. E, durante todo o tempo que se seguiu, ouviu-me de boca e olhos abertos, com o tremor de um medo terrível. O cinismo das minhas palavras esmagara-a...

— Salvar! — continuei, pulando da cadeira e correndo diante dela de um canto a outro da sala. Salvar do quê? Mas eu mesmo talvez seja pior que você. Por que não me lançou então às fuças, quando eu lhe fui pregar sermão: "E você mesmo, por que veio a nossa casa? Veio pregar moral?". Eu precisava então ter poder, precisava de um jogo, precisava conseguir as suas lágrimas, a sua humilhação, a sua histeria. Eis do que eu precisava então! Mas eu próprio não suportei isto, porque sou um crápula; assustei-me e, o diabo sabe para quê, dei de bobo o meu endereço a você. Em seguida, ainda antes de chegar em casa, já eu a xingava a mais não poder. Justamente por causa desse endereço. Eu já odiava você, porque lhe mentira então. Porque eu quero apenas jogar com as palavras, devanear mentalmente, mas, na realidade, sabe do que eu preciso? Que vocês todos levem a breca de uma vez, aí é que está! Preciso de tranquilidade. Agora mesmo, sou capaz de vender o mundo todo por um copeque, para que não me importunem. Que o mundo leve a breca ou que eu deixe agora de tomar o chá? Direi que acabe o mundo mas que eu sempre possa tomar o meu chá. Você sabia disso ou não? Bem, quanto a mim, sei que sou um canalha, um patife, um egoísta, um preguiçoso. Nestes três dias, tremi de medo que você viesse. E sabe o que me inquietou, de modo particular, em todos estes três dias? Foi que então eu me apresentei tão heroico diante de você, e de repente você me veria indigente, repulsivo, com este roupãozinho esfrangalhado. Eu lhe disse, há pouco, que não me envergonhava da minha pobreza; pois saiba que me envergonho, sim, envergonho-me disso mais do que qualquer outra coisa; temo-a acima de tudo, mais do que se eu roubasse, porque sou tão vaidoso como se me tivessem arrancado a pele e o simples ar me causasse dor. Mas será possível que até agora você não tenha compreendido que eu nunca lhe perdoarei o fato de me ter encontrado com este roupãozinho, quando eu me lançava sobre Apolón, como um cachorrinho raivoso? O ressuscitador, o ex-herói, atira-se como um vira-lata vagabundo e cabeludo contra o seu criado, e este ri dele! E nunca desculparei também a você as lágrimas de há pouco, que não pude conter, como uma mulher envergonhada! E também nunca desculparei *a você* as confissões que lhe estou fazendo agora! Sim, você, unicamente você, deve responder por tudo isto, porque você é que apareceu na minha frente, porque eu sou um canalha, porque sou o mais repulsivo, o mais ridículo, o mais mesquinho, o mais estúpido, o mais invejoso de todos os vermes sobre a terra, que de modo nenhum são melhores que eu, mas os quais, o diabo sabe por quê, nunca ficam encabulados; e eu vou receber assim, toda a vida, piparotes da primeira lêndea que aparecer — é uma característica minha! E o que tenho eu a ver com o fato de você não compreender nada disso? E que tenho eu, que tenho eu também com o fato de que você esteja se perdendo ou não naquela casa? Mas compreende você como agora, depois de lhe contar tudo isto, vou odiá-la porque esteve aqui e me ouviu? Uma pessoa se revela assim apenas uma vez na vida, e assim mesmo somente num acesso de histeria!... Que mais você quer? E por que, depois de tudo isto, você fica aí espetada na minha frente, por que me tortura e não vai embora?

Mas aí deu-se um fato estranho.

Acostumara-me a tal ponto a pensar e a imaginar tudo de acordo com os livros, e a representar a mim mesmo tudo no mundo como eu mesmo anteriormente compusera nos meus devaneios, que então nem compreendi imediatamente aquele estranho fato. E eis o que sucedeu: ofendida e esmagada por mim, Liza compreendera muito mais do que eu imaginara. Ela compreendera de tudo aquilo justamente o que a mulher sempre compreende em primeiro lugar, quando ama sinceramente, isto é, compreendera que eu mesmo era infeliz.

A expressão de susto e de dignidade cedeu a princípio, em

seu semblante, a uma perplexidade amargurada. E, quando eu comecei a chamar-me de canalha e crápula, quando me correram as lágrimas (proferi toda esta tirada com lágrimas), todo o seu rosto se contorceu em não sei que convulsão. Quis levantar-se, deter-me; e, quando acabei de falar, não foi para os meus gritos que ela dirigiu a atenção: "Para que está aqui? Por que não vai embora?!", mas para o fato de que, provavelmente, era muito difícil a mim mesmo dizer tudo aquilo. E estava tão aniquilada, a pobre; considerava-se infinitamente inferior a mim; como poderia, pois, ficar zangada, ofender-se? Súbito, pulou da cadeira num repente insopitável e, querendo atirar-se toda para mim, mas ainda tímida e não ousando sair do lugar, estendeu-me os braços... Nesse ponto, o meu coração também se confrangeu. E ela se lançou subitamente a mim, rodeou-me o pescoço com os braços e chorou. Eu também não resisti e chorei aos soluços, de modo como nunca ainda me acontecera...

— Não me deixam... Eu não posso ser... bondoso! — mal proferi; em seguida fui até o divã, caí nele de bruços e passei um quarto de hora soluçando, presa de um verdadeiro acesso de histeria. Ela deixou-se cair junto a mim, abraçou-me e pareceu petrificar-se naquele abraço.

Mas, apesar de tudo, a histeria tinha que passar afinal. E eis que (bem que estou escrevendo uma verdade repulsiva), deitado de bruços no divã, apertado fortemente contra ele, o rosto enfiado em meu ordinário travesseiro de couro, comecei a perceber, aos poucos, como que de longe, contra a vontade, mas de modo incoercível, que eu ficaria então encabulado de levantar a cabeça e olhar Liza bem nos olhos. De que me envergonhava? Não sei, mas tinha vergonha. Acudiu-me também à transtornada cabeça o pensamento de que os papéis estavam definitivamente trocados, que ela é que era a heroína, e que eu era uma criatura, tão humilhada e esmagada como ela fora diante de mim naquela noite, quatro dias atrás... E tudo isto me passou pela mente ainda naqueles instantes em que eu estava deitado de bruços no divã!

Meu Deus! Será possível que eu a tenha então invejado?

Não sei, não pude esclarecer isto até hoje, mas então, naturalmente, podia compreendê-lo ainda menos que neste momento. Bem certo é que eu não posso viver sem autoridade e tirania sobre alguém... Mas... mas nada se consegue explicar com argumentação, e, por conseguinte, não há motivo para se argumentar.

Todavia, consegui dominar-me e soergui a cabeça; afinal, era preciso acabar por levantá-la... E eis que — estou certo disso até hoje —, precisamente pelo fato de sentir vergonha de olhá-la, em meu coração se acendeu de repente um outro sentimento... o sentimento de domínio e de posse. Meus olhos brilharam de paixão, e eu apertei-lhe fortemente as mãos. Como eu a odiava e como estava atraído por ela naquele instante! Um sentimento fortalecia o outro. Isto parecia quase uma vingança!... Em seu rosto apareceu a princípio como que uma perplexidade, como que um medo até, mas isto durou apenas um instante. Ela abraçou-me com ardor e entusiasmo.

X

Um quarto de hora depois, eu estava andando a passos largos, numa impaciência furiosa, de um canto a outro do quarto, e a cada instante acercava-me do biombo e espiava Liza por uma pequena fresta. Ela estava sentada no chão, a cabeça reclinada sobre a cama, e provavelmente chorava. Mas não ia embora, e justamente isto é que me irritava. Desta vez, ela já sabia tudo. Eu a ofendera para sempre, mas... não há o que contar. Ela adivinhara que o arroubo da minha paixão fora justamente uma vingança, uma nova humilhação, e que ao meu ódio de antes, quase sem objeto, se acrescentara já um ódio *pessoal*, *invejoso*, um ódio por ela... Aliás, não afirmo que ela compreendesse tudo isto com nitidez; em compensação, compreendera inteiramente que eu era um homem vil e, sobretudo, incapaz de amá-la.

Sei que me dirão que isto é inverossímil; que é inverossímil ser tão malvado e estúpido como eu; acrescentarão talvez que era inverossímil não passar a amá-la ou, pelo menos, não avaliar aquele amor. Mas inverossímil por quê? Em primeiro lugar, eu não podia mais apaixonar-me, porque, repito, amar significava para mim tiranizar e dominar moralmente. Durante toda a vida, eu não podia sequer conceber em meu íntimo outro amor, e cheguei a tal ponto que, agora, chego a pensar por vezes que o amor consiste justamente no direito que o objeto amado voluntariamente nos concede de exercer tirania sobre ele. Mesmo nos meus devaneios subterrâneos, nunca pude conceber o amor senão como uma luta: começava sempre pelo ódio e terminava pela subjugação moral; depois não podia sequer imaginar o que fazer com o objeto subjugado. E o que há de inverossímil nisso, se eu já conseguira apodrecer moralmente a ponto de me desacostumar da "vida viva", e haver tido a ideia de censurar Liza, de envergonhá-la com o fato de ter vindo a minha casa para ouvir "palavras piedosas"; mas eu mesmo não adivinhara que ela não viera absolutamente para ouvir palavras de piedade, mas para me amar, pois para a mulher é no amor que consiste toda a ressurreição; toda a salvação de qualquer desgraça e toda regeneração não podem ser reveladas de outro modo. Aliás, eu não a odiava tanto assim quando corria pelo quarto e espiava pelo biombo, através de uma pequena fresta. Dava-me apenas um sentimento insuportavelmente penoso o fato de que ela estivesse ali. Queria que ela sumisse. Queria "tranquilidade", ficar sozinho no subsolo. A "vida viva", por falta de hábito, comprimira-me tanto que era até difícil respirar.

Passaram-se mais alguns minutos, e ela ainda não se levantara, como se estivesse esquecida de si mesma. Tive o descaramento de bater devagarinho no biombo, para lembrar...

De repente, sobressaltou-se, ergueu-se e começou a procurar o seu lenço, o chapeuzinho, a peliça, como se quisesse escapar de mim... Dois minutos depois, saiu vagarosamente de trás do biombo e me dirigiu um olhar penoso. Sorri com maldade, aliás à força, *por uma questão de decência*, e virei-me, evitando-lhe o olhar.

— Adeus — disse ela, encaminhando-se para a porta.

De repente, corri até ela, agarrei-lhe a mão, abri-a, coloquei ali... e tornei a fechá-la. E, no mesmo instante, me virei e corri o quanto antes para o outro canto a fim de não ver, pelo menos...

Quis, ainda há pouco, mentir, escrever que eu fizera aquilo sem querer, não sabendo o que fazia, fora de mim, por tolice. Mas não quero mentir e, por isto, digo francamente que abri a mão dela e coloquei ali... por raiva. Veio-me à mente fazê-lo quando eu corria de um canto a outro do quarto e ela estava sentada atrás do biombo. Mas eis o que posso dizer com certeza: cometi esta crueldade, ainda que intencionalmente, mas não com o coração, e sim com a minha cabeça má. Esta crueldade era tão artificial, mental, inventada, *livresca*, que eu mesmo não a suportei um instante sequer: a princípio, corri para um canto, a fim de não ver, e depois, presa de vergonha e desespero, precipitei-me atrás de Liza. Abri a porta do apartamento e me pus a prestar atenção.

— Liza! Liza! — gritei para a escada, mas sem coragem, a meia-voz...

Não houve resposta, e eu tive a impressão de ouvir seus passos nos últimos degraus.

— Liza! — gritei, mais alto.

Nenhuma resposta. Mas, no mesmo instante, ouvi abrir-se lá embaixo, pesadamente, com um rangido, a porta emperrada, envidraçada, que dava para a rua, e fechar-se pesadamente também. O ruído soou pela escada.

Ela partira. Voltei pensativo para o meu quarto. Uma sensação terrivelmente penosa me dominava.

Memórias do subsolo

Detive-me junto à mesa, ao lado da cadeira sobre a qual ela estivera sentada, e fiquei olhando com ar estúpido para a frente. Cerca de um minuto se passou; de repente, estremeci todo: bem diante de mim, sobre a mesa, vi... numa palavra, vi uma nota amassada, azul, de cinco rublos, aquela mesma que, um minuto antes, eu fechara em sua mão. Era *aquela* nota, outra não podia ser, não existia outra em casa. Quer dizer que ela tivera tempo de jogá-la sobre a mesa, no instante em que eu correra para o outro canto.

Pois bem, eu podia esperar que ela fizesse isto. Podia mesmo? Não. Eu era a tal ponto egoísta, respeitava, na realidade, tão pouco as pessoas que não podia sequer imaginar que ela o fizesse. — Não suportei aquilo. Um instante depois, como um insano, corri a vestir-me, joguei sobre mim o que pude, às pressas, e corri velozmente em sua perseguição. Ela não tivera ainda tempo de percorrer duzentos passos quando saí para a rua.

Tudo estava quieto, a neve despencava quase perpendicularmente, forrando com espessa alfombra a calçada e a rua deserta. Não havia um transeunte, não se ouvia um som sequer. Os lampiões tremeluziam melancólica e inutilmente. Corri uns duzentos passos, até a encruzilhada, e me detive.

"Para onde teria ido? E por que estou correndo atrás dela? Para quê? Cair diante dela, chorar de arrependimento, beijar-lhe os pés, implorar perdão! Eu até que desejava isto; meu peito dilacerava-se todo, e jamais, jamais poderei lembrar aquele momento com indiferença. Mas, para quê?", pensei. "Não irei eu odiá-la, amanhã mesmo talvez, justamente por lhe ter beijado hoje os pés? Irei eu dar-lhe felicidade? Não constatei acaso hoje novamente, e pela centésima vez, quanto valho? Não irei supliciá-la de uma vez?!"

Parado sobre a neve, pensava nisto e perscrutava a bruma turva.

"E não será melhor, não será melhor", fantasiava eu já em casa, depois, abafando com a imaginação a dor viva que me ia na alma, "não será melhor se ela levar consigo agora e para sempre a afronta? A afronta... mas é uma purificação; é a mais corrosiva e dolorida consciência! Amanhã mesmo eu sujaria com o meu ser a sua alma e cansaria o seu coração. Mas a afronta, agora, não se extinguirá nela nunca mais e, por mais repulsiva que seja a imundice que a espera, a afronta há de elevá-la e purificá-la... por meio do ódio... hum... e talvez pelo perdão também... Aliás, fará acaso isto com que tudo lhe seja mais leve?".

E realmente desta vez proponho já da minha parte uma pergunta ociosa: o que é melhor, uma felicidade barata ou um sofrimento elevado? Vamos, o que é melhor?

Era isto que me vinha à mente, nas horas que passei em casa, naquela noite, quase morrendo de sofrimento moral. Nunca experimentara até então tamanha dor e arrependimento; mas poderia subsistir, quando saí correndo de casa, alguma dúvida sequer de que haveria de regressar da metade do caminho? Nunca mais encontrei Liza e nada ouvi a seu respeito. Acrescentarei, também, que fiquei por muito tempo satisfeito com a frase sobre a vantagem da afronta e do ódio, embora eu mesmo talvez quase tenha adoecido então de angústia.

Mesmo agora, passados tantos anos, tudo isso me vem à memória de modo demasiado *mau*. Muita coisa lembro agora realmente como um mal, mas... não será melhor encerrar aqui as "Memórias"? Parece-me que cometi um erro começando a escrevê-las. Pelo menos, senti vergonha todo o tempo em que escrevi esta *novela*: é que isto não é mais literatura, mas um castigo correcional. De fato, contar, por exemplo, longas novelas sobre como eu fiz fracassar a minha vida por meio do apodrecimento moral a um canto, da insuficiência do ambiente, desacostumando-me de tudo o que é vivo por meio de um enraivecido rancor no subsolo, por Deus que não é interessante: um romance precisa de herói e, no caso, foram acumulados *intencionalmente* todos os tra-

Memórias do subsolo

145

ços de um anti-herói, e, principalmente, tudo isto dará uma impressão extremamente desagradável, porque todos nós estávamos desacostumados da vida, todos capengamos, uns mais, outros menos. Desacostumamo-nos mesmo a tal ponto que sentimos por vezes certa repulsa pela "vida viva", e achamos intolerável que alguém a lembre a nós. Chegamos a tal ponto que a "vida viva" autêntica é considerada por nós quase um trabalho, um emprego, e todos concordamos no íntimo que seguir os livros é melhor. E por que nos agitamos às vezes, por que fazemos extravagâncias? O que pedimos? Nós mesmos não o sabemos. Será pior para nós mesmos se forem satisfeitos os nossos extravagantes pedidos. Bem, experimentai, por exemplo, dar-nos mais independência, desamarrai a qualquer de nós as mãos, alargai o nosso círculo de atividade, enfraquecei a tutela e nós... eu vos asseguro, no mesmo instante pediremos que se estenda novamente sobre nós a tutela. Sei que talvez ficareis zangados comigo por causa disto, e gritareis, batendo os pés: "Fale de si mesmo e das suas misérias no subsolo, mas não se atreva a dizer 'todos nós'". Mas com licença, meus senhores, eu não me estou justificando com este *todos*. E, no que se refere a mim, apenas levei até o extremo, em minha vida, aquilo que não ousastes levar até a metade sequer, e ainda tomastes a vossa covardia por sensatez, e assim vos consolastes, enganando-vos a vós mesmos. De modo que eu talvez esteja ainda mais "vivo" que vós. Olhai melhor! Nem mesmo sabemos onde habita agora o que é vivo, o que ele é, como se chama. Deixai-nos sozinhos, sem um livro, e imediatamente ficaremos confusos, vamos perder-nos; não saberemos a quem aderir, a quem nos ater, o que amar e o que odiar, o que respeitar e o que desprezar. Para nós é pesado, até, ser gente, gente com corpo e sangue autênticos, *próprios*; temos vergonha disso, consideramos tal fato um opróbrio e procuramos ser uns homens gerais que nunca existiram. Somos natimortos, já que não nascemos de pais vivos, e isto nos agrada cada vez mais. Em breve, inventaremos algum modo de nascer de uma ideia. Mas chega; não quero mais escrever "do Subsolo"...

Aliás, ainda não terminam aqui as "memórias" deste paradoxalista. Ele não se conteve e as continuou. Mas parece-nos que se pode fazer ponto final aqui mesmo.

SOBRE O AUTOR

Fiódor Mikháilovitch Dostoiévski nasceu em Moscou a 30 de outubro de 1821, num hospital para indigentes onde seu pai trabalhava como médico. Em 1838, um ano depois da morte da mãe por tuberculose, ingressa na Escola de Engenharia Militar de São Petersburgo. Ali aprofunda seu conhecimento das literaturas russa, francesa e outras. No ano seguinte, o pai é assassinado pelos servos de sua pequena propriedade rural.

Só e sem recursos, em 1844 Dostoiévski decide dar livre curso à sua vocação de escritor: abandona a carreira militar e escreve seu primeiro romance, *Gente pobre*, publicado dois anos mais tarde, com calorosa recepção da crítica. Passa a frequentar círculos revolucionários de Petersburgo e em 1849 é preso e condenado à morte. No derradeiro minuto, tem a pena comutada para quatro anos de trabalhos forçados, seguidos por prestação de serviços como soldado na Sibéria — experiência que será retratada em *Escritos da casa morta*, livro que começou a ser publicado em 1860, um ano antes de *Humilhados e ofendidos*.

Em 1857 casa-se com Maria Dmitrievna e, três anos depois, volta a Petersburgo, onde funda, com o irmão Mikhail, a revista literária *O Tempo*, fechada pela censura em 1863. Em 1864 lança outra revista, *A Época*, onde imprime a primeira parte de *Memórias do subsolo*. Nesse ano, perde a mulher e o irmão. Em 1866, publica *Crime e castigo* e conhece Anna Grigórievna, estenógrafa que o ajuda a terminar o livro *Um jogador*, e será sua companheira até o fim da vida. Em 1867, o casal, acossado por dívidas, embarca para a Europa, fugindo dos credores. Nesse períodó, ele escreve *O idiota* (1869) e *O eterno marido* (1870). De volta a Petersburgo, publica *Os demônios* (1872), *O adolescente* (1875) e inicia a edição do *Diário de um escritor* (1873-1881).

Em 1878, após a morte do filho Aleksiêi, de três anos, começa a escrever *Os irmãos Karamázov*, que será publicado em fins de 1880. Reconhecido pela crítica e por milhares de leitores como um dos maiores autores russos de todos os tempos, Dostoiévski morre em 28 de janeiro de 1881, deixando vários projetos inconclusos, entre eles a continuação de *Os irmãos Karamázov*, talvez sua obra mais ambiciosa.

SOBRE O TRADUTOR

Boris Schnaiderman nasceu em Úman, na Ucrânia, em 1917. Em 1925, aos oito anos de idade, veio com os pais para o Brasil, formando-se posteriormente na Escola Nacional de Agronomia do Rio de Janeiro. Naturalizou-se brasileiro nos anos 1940, tendo sido convocado a lutar na Segunda Guerra Mundial como sargento de artilharia da Força Expedicionária Brasileira — experiência que seria registrada em seu livro de ficção *Guerra em surdina* (escrito no calor da hora, mas finalizado somente em 1964) e no relato autobiográfico *Caderno italiano* (Perspectiva, 2015). Começou a publicar traduções de autores russos em 1944 e a colaborar na imprensa brasileira a partir de 1957. Mesmo sem ter feito formalmente um curso de Letras, foi escolhido para iniciar o curso de Língua e Literatura Russa da Universidade de São Paulo em 1960, instituição onde permaneceu até sua aposentadoria, em 1979, e na qual recebeu o título de Professor Emérito, em 2001.

É considerado um dos maiores tradutores do russo em nossa língua, tanto por suas versões de Dostoiévski — publicadas originalmente nas *Obras completas* do autor lançadas pela José Olympio nos anos 1940, 50 e 60 —, Tolstói, Tchekhov, Púchkin, Górki e outros, quanto pelas traduções de poesia realizadas em parceria com Augusto e Haroldo de Campos (*Maiakóvski: poemas*, 1967, *Poesia russa moderna*, 1968) e Nelson Ascher (*A dama de espadas: prosa e poesia*, de Púchkin, 1999, Prêmio Jabuti de tradução). Publicou também diversos livros de ensaios: *A poética de Maiakóvski através de sua prosa* (Perspectiva, 1971, originalmente sua tese de doutoramento), *Projeções: Rússia/Brasil/Itália* (Perspectiva, 1978), *Dostoiévski prosa poesia* (Perspectiva, 1982, Prêmio Jabuti de ensaio), *Turbilhão e semente: ensaios sobre Dostoiévski e Bakhtin* (Duas Cidades, 1983), *Tolstói: antiarte e rebeldia* (Brasiliense, 1983), *Os escombros e o mito: a cultura e o fim da União Soviética* (Companhia das Letras, 1997) e *Tradução, ato desmedido* (Perspectiva, 2011). Recebeu em 2003 o Prêmio de Tradução da Academia Brasileira de Letras, concedido então pela primeira vez, e em 2007 foi agraciado pelo governo da Rússia com a Medalha Púchkin, em reconhecimento por sua contribuição na divulgação da cultura russa no exterior.

Faleceu em São Paulo, em 2016, aos 99 anos de idade.

ESTE LIVRO FOI COMPOSTO EM SABON,
pela BRACHER & MALTA, COM CTP DA
NEW PRINT E IMPRESSÃO DA GRAPHIUM
EM PAPEL PÓLEN NATURAL 80 G/M² DA
CIA. SUZANO DE PAPEL E CELULOSE PARA
A EDITORA 34, EM NOVEMBRO DE 2024.